축복

# 축복 · 세상에서 제일 큰 축복은 희망입니다

글 저자_장영희 | 그림 저자_김점선 | 1판 1쇄 인쇄_2006년 7월 1일 | 1판 1쇄 발행_2006년 7월 10일 | 등록_2005년 12월 15일(제101-86-20069호) | 발행처_도서출판 비채 | 발행인_이영희 | 주소_서울특별시 종로구 경운동 89-4 운현궁 SK허브 B동 712호 | 주문 및 문의 전화_031)955-3220, 팩스_031)955-3111 | 편집부 전화_02)734-0022, 팩스_02)734-0221 | 전자우편_viche@viche.co.kr | ⓒ 2006, 장영희 · 김점선, 이 책의 저작권은 저자에게 있습니다. 저자와 출판사의 허락 없이 내용의 일부를 인용하거나 발췌하는 것을 금합니다. | ISBN 89-92036-08-6 03810 | 책값은 뒤표지에 있습니다.

장영희의 영미시산책

# 축 복

장영희 쓰고 김점선 그림

비채

# 이 아침, 축복 같은 꽃비가…

"1년 동안 함께 살던 사랑하는 사람과 헤어지는 것 같아 아쉽고, 앞으로도 그리워할 것 같아요. 하지만 어차피 헤어지려면, 조금은 아쉬운 마음이 있을 때 헤어지는 게 나을 것 같아요."

지난 1년간 조선일보에 '영미시산책'을 연재해온 장영희 서강대 교수. 신문에 실린 그의 시선詩選과 해설을 오려두고 모은다는 독자들, 시 읽기 모임을 꾸려간다는 주부들, 영어 스터디 교재로 쓴다는 학생들, 연애편지에 끼워 보낸다는 연인들, 자녀들에게 오려서 보낸다는 부모들… 그의 독자들은 그야말로 남녀노소 총망라다.

그는 마지막 원고에서 막 손을 털었다며 서운하면서도 홀가분한 표정이었다.

—지난 1년간 연재하신 '장영희의 영미시산책'은 정말 뜨거운 반응을

얻었었지요. 영시英詩란 건 영문학도들이나 읽는 것인 줄 알았는데, 일반 독자들이 그렇게 많았던 이유가 뭘까요?

"일간지에서 시도한 영미시산책이라는 기획 자체가 신선했던 것 같아요. 신문은 사실적 정보만을 주로 다루잖아요. 그만큼 독자들 속에 시를 읽고 싶은 마음, 딱딱한 '사실'이 아니라 마음의 소통을 접하고 싶은 의지가 숨어 있었던 게 아닐까요. 그렇지만 일부러 책방에 가거나 시를 찾아서 읽게 되지 않잖아요. 신문은 누구나 다 보는 매체구요. 특히 시를 통해 위로 받는다는 분들이 많았지요."

―시詩가 희망을 찾아주는 역할을 하나 보지요.

"그럼요, 시는 기쁜 마음은 더욱 기쁘게 하고 아픈 마음은 보듬고 치유해주는 능력을 갖고 있으니까요. 그런데 아무래도 제가 힘들고 아플 때라 그런지 희망에 관한 시를 많이 골랐나 봐요.

―선생님은 이제껏 계속 항암치료 중에 영미시산책을 쓰셨잖아요. 어떻게 견디십니까?

"재미있는 것은, 항암치료도 자격을 필요로 해요. 단단히 맘먹고 치료를 받으러 갔는데 백혈구 지수가 낮게 나와서 치료를 못 받는 경우가 더 많았어요. 그게 제일 안타까웠지요. 방사선 치료 때도 힘들었구요. 척추에 방사선을 쪼이면 식도가 탑니다. 물 한 방울만 먹어도 마치 칼을 삼키는 듯 그 고통은 이루 말할 수 없었습니다. 새벽에 먼동이 뿌옇게 밝아오는 창 밖을 보면 오늘 하루를 또 어떻게 보내나, 참으로 한심했지요. 그렇지만 오늘 하루만 성실하게 최선을 다해 다시 살아보자, 그러면 내일은 나아지겠지, 그런 희망으로 살았습니다. 그렇게 하루하루가 쌓이다 보면 고통이 끝날 때가 있으리라고 믿었어요."

—이제 칼럼을 끝내고 나면 무얼 하실 건가요.

"일단은 항암치료를 끝내야겠지요. 아직 반 정도밖에 치료를 받지 못했거든요. 그리고 이 시들로 정말 예쁜 그림이 들어가는 아름다운 책을 만들고 싶어요…"

위 글은 2005년 5월 말, 조선일보에 1년간 연재하던 '장영희의 영미시산책'을 끝낼 때 박해현 기자님이 쓰신 '본지 칼럼 끝내는 장영희 교수'라는 제목의 기사 중 일부를 발췌한 것입니다. 지금 이 기사를 읽어보니 참으로 신기합니다. 정말 그렇게 하루하루가 쌓이는 동안 도합 스물네 번의 항암치료가 끝나고, 정말로 이렇게 예쁜 그림이 들어간 예쁜 책을 만들고 있습니다. 끝이 없는 것처럼 보이던 고통이었지만, 분명 끝이 있었습니다.

이 책은 지난 4월 출간된 《생일 : 사랑이 내게 온 날 나는 다시 태어났습니다》의 후편입니다. '장영희의 영미시산책' 칼럼에서 《생일》은 사랑을 주제로 한 시를, 그리고 이 책은 희망을 주제로 한 시를 모은 것입니다. 입원 중에 집필한 글들이어서 그런지 유독 희망을 주제로 한 시들이 많았습니다.

한 달 전쯤인가요, 이 책의 교정을 보고 있는데 출판사 편집부에서 전화가 왔습니다.

"선생님, 이 책은 희망에 관한 시들을 모았으니까 제목을 '희망'으로 하면 되겠지요?"

"그렇게 하도록 하세요."

전화를 끊고 나서 생각했습니다. 희망에 관한 시들이니까 '희망'이라는 제목을 준다―그것은 암만 생각해도 너무 멋대가리 없고 밋밋하다는 생각이 들었습니다. 사전적으로는 맞는 말이지만, 운치 없고 재미없습니다. 아니, 무엇보다 시집의 제목인데 너무 '시적'이지 못합니다.

왜냐하면 시는 그렇게 사전적이고 직접적으로 말하는 것이 아닙니다. 사랑하는 마음을 단순간결하게 '사랑해요'라고 말하는 것은 효율적일지는 몰라도, 그런 '선언'으로는 마음의 신비를 절대 전할 수 없습니다. 시는 정보 위주의 선전문구가 아니기 때문입니다. 책상을 보고 그냥 '이건 책상이다'라고 말하는 것은 시가 될 수 없지요. 그 책상에서 친구와 함께 공부했던 추억, 그 친구의 얼굴, 그 시간의 소중함을 떠올리며 그 책상에 대해 마음과 이미지로 말하는 것이 바로 시입니다. 그래서 시는 가까이 얼굴을 맞대고 웅변으로 말하기보다는 한 발자국 물러서서 조그만 소리로 말하는 것, 신작로처럼 뻥 뚫린 길을 놔두고 향기로운 오솔길로 가는 것과 마찬가지입니다.

그래서 시인 칼 샌드버그(Carl Sandburg)는 시란 문을 활짝 열고 안을 들여다보는 것이 아니라 살짝 문을 열었다 닫고 그 안에 무엇이 있는지 상상하는 것이라고 했습니다. 그러니 희망을 그냥 '희망'이라고 말하는 것은 문을 활짝 열고 들여다보는 것과 마찬가지이지요.

이리저리 생각하다가 마땅한 아이디어가 떠오르지 않아 늘 나의 마지막 보루인 우리 학생들의 도움을 받기로 했습니다. 그래서 수업 시간에 학생들에게 물었습니다. 너희들에게 희망을 연상하게 하는 것으론 무엇이 있을까?

등대, 풀꽃, 새벽, 36.5(사람의 체온), 새봄, 하늘… 등등 학생들은 여러 가지 재미있는 제안을 했지만, 딱 이거다 싶은 것은 없었습니다. 제목으로

서 너무 평이하거나 금방 마음에 와 닿지 않았습니다.

　그래서 이 책의 제목에 대해서 무던히도 고심했습니다. 밥을 먹을 때나 잠을 잘 때나 늘 생각해봐도 뾰족한 수가 없었습니다. 그러다가 며칠 전 책상에서 문득 사서함 주소가 적힌 봉투 하나를 발견했습니다. 제게 오는 사서함 주소의 대부분은 재소자들의 편지입니다. 몇 달 전에 온 이 편지도 예외가 아니었습니다. 청송교도소에 수감되어 있는 재소자였습니다. 선생님이 병중에 있다는 것을 신문에서 읽었다는 말, 평소에 선생님 글을 좋아했는데 참 안타깝다는 말, 용기를 가지라는 말 등을 달필로 적어 내려가다가 그분은 이렇게 결론을 내리고 있었습니다.

　"선생님, 절대 희망을 버리지 마세요. 이곳에서 제가 드릴 수 있는 선물은 이것밖에 없습니다. 희망을 가질 수 있다는 것, 그것처럼 큰 축복이 어디 있겠어요."

　축복—갑자기 내 머리위로 향기로운 꽃 폭죽이 터지듯, 그냥 듣기만 해도 마음을 기쁘고 설레게 하는 말입니다. 그런데 희망이 축복? 그렇구나, 희망도 축복이구나, 불현듯 생각났습니다. 이 책의 제목을 '축복'으로 해야겠다고 마음먹었습니다. 아닌게아니라 '장영희의 영미시산책'이 신문에 나갈 때 계절마다 간판을 다르게 달았는데, 봄철 간판이 '이 아침, 축복 같은 꽃비'였습니다. 그런데 저는 희망이 축복이라는 생각은 미처 하지 못했습니다. 하지만 생각해보니 그것은 분명 축복입니다. 어쩌면 신이 우리에게 준 최대의 축복입니다. 희망을 가짐으로써 내가 더 아름다워지고, 그리고 그렇게 아름다워진 내가 다시 누군가를 축복하고(축복은 늘 내가 나 스스로에게가 아니라 남에게 주는 것이기에), 그래서 더 눈부신 세상을 만나고 더 아름

8

답게 살아가라고 신이 내리신 축복 말입니다.

　그래서 이 책에 수록된 50편의 시를 읽는다는 것은 마치 그런 축복으로 가는 통로를 걷는 일과 같습니다. 영문학사에 길이 남을 시인들이 우리에게 주는 희망의 메시지들이니까요. 19세기 시인이자 사상가인 에머슨(Ralph Waldo Emerson)이 재미있는 말을 했습니다. "사람들은 시를 읽어보지도 않고 스스로 자기가 시를 싫어한다고 생각한다. 그러나 인간이면 그 누구나 다 시인이다." 마찬가지로 우리는 우리가 공짜로 누리는 축복, 우리 안의 희망의 소리를 듣지도 않고 희망이 없다고 생각하기 일쑤입니다.

　이 책에 있는 시들이 시를 잃어버린 마음에게 시를 찾아주고, 희망이 부족한 사람에게 희망을 채워주어서 우리 모두를 희망을 노래하는 시인으로 만들어주기를 소망해봅니다. 그래서 우리의 삶이 축복으로 가득해질 때까지….

　이 책에 제목을 주신 그분께, 그리고 이제껏 제 삶을 희망으로 축복해주신 모든 분들께 감사드립니다.

2006년 7월
축복 같은 꽃비가, 아니 꽃비 같은 축복이 내리는 이 아침에
장영희

2···

3···

1... 희망은 우리가 열심히 일하거나 간절히 원해서 생기는 게 아닙니다. 상처에 새살이 나오듯, 죽은 가지에 새순이 돋아나듯, 희망은 절로 생기는 겁니다. 희망은 우리가 삶에서 공짜로 누리는 제일 멋진 축복입니다.

희망은 세상에서 제일 멋진 축복

# Hope Is the Thing with Feathers

Emily Dickinson

Hope is the thing with feathers
That perches in the soul
And sings the tune without the words
And never stops at all.

And sweetest in the gale is heard;
And sore must be the storm
That could abash the little bird
That kept so many warm.

I've heard it in the chilliest land
And on the strangest sea;
Yet never in extremity
It asked a crumb of me.

# 희망은 한 마리 새

에밀리 디킨슨

희망은 한 마리 새
영혼 위에 걸터앉아
가사 없는 곡조를 노래하며
그칠 줄을 모른다.

모진 바람 속에서 더욱 달콤한 소리
아무리 심한 폭풍도
많은 이의 가슴 따뜻이 보듬는
그 작은 새의 노래 멈추지 못하리.

나는 그 소리를 아주 추운 땅에서도,
아주 낯선 바다에서도 들었다.
허나 아무리 절박해도 그건 내게
빵 한 조각 청하지 않았다.

미국의 여류시인(1830~1886). 자연과 청교도주의를 배경으로 사랑과 죽음, 영원 등의 주제를 담은 시들을 남겼다. 평생을 칩거하며 독신으로 살았고, 죽은 후에야 그녀가 생전에 2,000여 편의 시를 쓴 것이 알려졌다.

희망은 우리의 영혼에 살짝 걸터앉아 있는 한 마리 새와 같습니다. 행복하고 기쁠 때는 잊고 살지만, 마음이 아플 때, 절망할 때 어느덧 곁에 와 손을 잡습니다.

희망은 우리가 열심히 일하거나 간절히 원해서 생기는 게 아닙니다. 상처에 새살이 나오듯, 죽은 가지에 새순이 돋아나듯, 희망은 절로 생기는 겁니다. 이제는 정말 막다른 골목이라고 생각할 때, 가만히 마음속 깊은 곳에서 들려오는 소리에 귀기울여보세요. 한 마리 작은 새가 속삭입니다.

"아니, 괜찮을 거야, 이게 끝이 아닐 거야. 넌 해낼 수 있어." 그칠 줄 모르고 속삭입니다. 생명이 있는 한, 희망은 존재하기 때문입니다.

그래서 희망은 우리가 삶에서 공짜로 누리는 제일 멋진 축복입니다.

놓지 마세요, 당신만의 실을

# The Way It Is

William Stafford

> There's a thread you follow. It goes among
> things that change. But it doesn't change.
> People wonder about what you are pursuing.
> You have to explain about the thread.
> But it is hard for others to see.
> While you hold it you can't get lost.
> Tragedies happen; people get hurt
> or die; and you suffer and get old.
> Nothing you do can stop time's unfolding.
> You don't ever let go of the thread.

# 삶이란 어떤 거냐 하면

윌리엄 스태퍼드

네가 따르는 한 가닥 실이 있단다. 변화하는
것들 사이를 지나는 실. 하지만 그 실은 변치 않는다.
사람들은 네가 무엇을 따라가는지 궁금해 한다.
너는 그 실에 대해 설명해야 한다.
그렇지만 다른 이들에겐 잘 보이지 않는다.
그것을 잡고 있는 동안 너는 절대 길을 잃지 않는다.
비극은 일어나게 마련이고, 사람들은 다치거나
죽는다. 그리고 너도 고통 받고 늙어간다.
네가 무얼 해도 시간이 하는 일을 막을 수는 없다.
그래도 그 실을 꼭 잡고 놓지 말아라.

미국의 시인 · 영문학자(1914~1993). 제2차 세계대전 당시 양심적 참전 거부자로 대신 봉사활동을 했다. 대학에서 영문학을 가르쳤고 오리건 주의 계관시인을 지냈다. 시집 《어둠 속의 여행(Travelling through the Dark)》(1962)으로 전미도서상을 받았다.

우리 학생들 일기장에 써놓게 하고 싶은 시입니다. 우리가 사는 삶이 하나의 여정이라면, 방향 표지판이 있어야 합니다. 그 표지판을 따라가야 길을 잃지 않고 제대로 도착지에 도달할 수 있습니다. 그것은 내가 좇는 꿈일 수도 있고, 믿음, 그리고 정의일 수도 있습니다. 이 세상 모든 게 다 변해도 그것만은 변하지 않고, 또 변해도 안 됩니다.

그렇지만 시인은 왜 하필이면 실이라는 이미지를 썼을까요. 가느다란 실은 엉키고 끊어지기 쉽습니다. 시간이 제멋대로 펼쳐놓는 비극에 부대끼면서 자칫 실을 놓칠 수도 있고, 좀더 쉽고 편해 보이는 샛길로 빠져버릴 수도 있습니다.

어른들이 올곧게 따라가야 할 실을 놓고 우왕좌왕 헤맬 때, 젊은 사람들은 누가 뭐래도 이상을 버리지 말고 옳은 길을 따르는 신념을 배웠으면 합니다.

# 헤매본 사람만이 길을 안다

## All That Is Gold Does Not Glitter

J. R. R. Tolkien

All that is gold does not glitter,
Not all those who wander are lost
The old that is strong does not wither,
Deep roots are not reached by frost.
From the ashes a fire shall be woken,
A light from the shadows shall spring;
Renewed shall be blade that was broken,
The crownless again shall be king.

# 금이라 해서 다 반짝이는 것은 아니다

J. R. R. 톨킨

금이라 해서 다 반짝이는 것은 아니며
헤매는 자 다 길을 잃은 것은 아니다.
오래되었어도 강한 것은 시들지 않고
깊은 뿌리에는 서리가 닿지 못한다.
타버린 재에서 새로이 불길이 일고,
어두운 그림자에서 빛이 솟구칠 것이다.
부러진 칼날은 온전해질 것이며,
왕관을 잃은 자 다시 왕이 되리.

영국의 학자 · 소설가(1892~1973). 34년간 옥스퍼드 대학 교수를 지내며 20세기 영문학사에 큰 발자취를 남겼다. 북유럽의 설화를 바탕으로 한 《반지의 제왕(The Lord of the Rings)》 3부작을 발표하며 현대 판타지 소설 장르를 발전시켰다.

유명한 《반지의 제왕》 1부에 나오는 시입니다. 시행 하나 하나가 모두 경구처럼 읽히지만, 특히 "헤매는 자 다 길을 잃은 것은 아니다"라는 말이 인상 깊습니다. 살아보니 인생은 일사천리로 쭉 뻗은 고속도로가 아닙니다. 숲속의 꼬불꼬불한 오솔길도 지나고, 어디 봐도 지평선밖에 보이지 않는 허허벌판 광야도 지나고, 빛줄기 하나 없는 터널도 지납니다. 이제 더 이상 갈 수 없는 막다른 골목도 나옵니다. 하지만 헤매본 사람만이 길을 알 수 있습니다.

그렇지만 길눈 어둡기로 소문난 저는 늘 생각합니다. 남들은 조금만 헤매도 쭉 뻗은 고속도로를 잘도 찾는데 왜 나는 끝없이 헤매고만 있는지, 남들이 갖고 있던 쇠붙이는 다 알고 보니 금덩어리라는데 왜 내 것은 그냥 쇠붙이일 뿐인지….

그래도 동서남북 가늠 못 하고 정신없이 헤매면서 보는 세상이 재미있고, 이러다 문득 어디선가 길이 나오겠지 하는 희망은 있습니다.

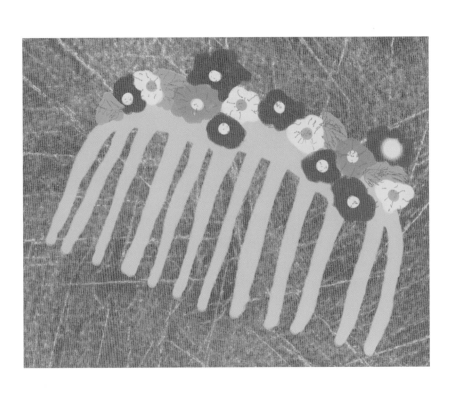

# 행동하라, 살아 있는 현재 속에서

## A Psalm of Life

Henry Wadsworth Longfellow

Tell me not, in mournful numbers,
Life is but an empty dream!....
Life is real! Life is earnest!
And the grave is not its goal....
Trust no future, howe'er pleasant!
Let the dead Past bury its dead!
Act,— act in the living present!....
Let us, then, be up and doing,
With a heart for any fate;
Still achieving, still pursuing,
Learn to labor and to wait.

# 인생 찬가

헨리 왜즈워스 롱펠로

슬픈 가락으로 내게 말하지 말라.
인생은 단지 허망한 꿈일 뿐이라고!
삶은 환상이 아니다! 삶은 진지한 것이다!
무덤이 삶의 목적지는 아니지 않은가.
아무리 행복해 보인들 '미래'를 믿지 말라.
죽은 '과거'는 죽은 이들이나 파묻게 하라!
행동하라, 살아 있는 현재 속에서 행동하라!
그러니 이제 우리 일어나 무엇이든 하자.
그 어떤 운명과도 맞설 용기를 가지고
언제나 성취하고 언제나 추구하며
일하고 기다리는 법을 배우자.

미국의 시인(1807~1882). 18년간 하버드 대학 교수로 있었으며 당시 큰 대중적 인기를 누렸다. 특히 유럽 각국의 민요를
번안·번역하여 미국에 소개한 공적이 크다. 단테의 《신곡》 번역에 붙인 소네트 《신곡》이 최대 걸작으로 평가된다.

살다보면 살아가는 일도 타성이 되어버립니다. 기쁜 일도 슬픈 일도 많이 겪다보면 익숙해져서 그저 그런가 보다, 그냥 이렇게 살다 떠나지, 별 생각 없이 사는데 어디선가 들려오는 우레 소리 같습니다. 무력감과 권태에 빠져 잠들어버린 영혼을 깨우는 소리입니다.

공수래공수거空手來空手去, 인생은 어차피 허망한 것이라고 포기하는 허무주의, 운명의 횡포는 어쩔 수 없다고 주저앉아버리는 패배주의, 과거의 영화에 연연하여 현재를 보지 못하는 과거주의… 모두 털어버리고 그 어떤 운명과도 맞설 용기를 갖고 일어나 행동하라고 촉구합니다. 어제도 내일도 아닌 오늘, 그리고 바로 여기 내가 서 있는 자리에서 최선을 다하면서 기다림의 미덕을 배우라고 알려줍니다.

삶은 기다림이 있을 때 기뻐지니까요.

# 아들아, 고난과 도전까지 끌어안거라

## Build Me a Son

Douglas MacArthur

Build me a son, O Lord....
one who will be proud and unbending in honest defeat,
and humble and gentle in victory....

Lead him, I pray, not in the path of ease and comfort,
but under the stress and spur of difficulties and challenge.
Here, let him learn to stand up in the storm;
here, let him team compassion for those who fall.

Build me a son whose heart will be clear, whose goals will be high;
a son who will master himself before he seeks to master other men;
one who will learn to laugh, yet never forget how to weep;
one who will reach into the future, yet never forget the past....

# 자녀를 위한 기도

더글러스 맥아더

주여, 제 아들을 이렇게 만들어주소서.
정직한 패배에 부끄러워하지 않고 꿋꿋하며
승리에 겸손하고 온유하게 하소서.

비오니 그를 평탄하고 안이한 길이 아니라
고난과 도전의 긴장과 자극 속으로 인도해주옵소서.
그래서 폭풍우 속에서 분연히 일어설 줄 알고
넘어지는 사람들에 대한 연민을 배우게 하소서.

마음이 맑으며 높은 목표를 갖고
남을 다스리려 하기 전에 먼저 자신을 다스리고,
소리 내어 웃을 줄 알되 울 줄도 알고
미래로 나아가되 결코 과거를 잊지 않는 아들로 만들어주소서.

미국의 군인(1880~1964). 웨스트포인트 사관학교를 수석으로 졸업한 뒤 육군에 근무했다. 극동 지역 전문가로서 6 · 25전쟁 때 유엔군 최고사령관으로 부임해 인천상륙작전을 지휘했다. 공화당 대통령 후보로 지명되기도 했다.

맥아더 장군 하면 인천상륙작전의 지휘관으로 전쟁사에 남을 이름이지만, 파이프 담배를 문 군인의 모습뿐만 아니라 시와 진배없는 이렇게 감동적인 기도문을 쓴 것으로도 유명합니다.

영국 시인 새뮤엘 콜러리지(Samuel Coleridge)는 "사랑을 많이 하는 사람은 기도도 잘한다(He prayth best, who loveth best)"고 했습니다. 아무리 그악한 사람도 기도하는 모습은 아름답습니다. 기도 속에는 애절한 소망과 사랑이 담겨 있기 때문입니다.

맥아더가 군인으로 오래도록 기억되는 것은 총 잘 쏘고 전략 잘 짜는 기술뿐만 아니라 이러한 기도문을 쓸 줄 아는 사랑하는 마음을 가졌기 때문인지도 모릅니다.

영혼의 불꽃은 세월을 모른다

# Do Not Go Gentle into That Good Night

Dylan M. Thomas

Do not go gentle into that good night,
Old age should burn and rave at close of day;
Rage, rage against the dying of the light....

Garve men, near death, who see with blinding sight
Blind eyes could blaze like meteors and be gay,
Rage, rage against the dying of the light....

# 순순히 저 휴식의 밤으로 들지 마십시오

딜런 M. 토머스

그대로 순순히 저 휴식의 밤으로 들지 마십시오.
하루가 저물 때 노년은 불타며 아우성쳐야 합니다.
희미해져 가는 빛에 분노하고 또 분노하십시오.

죽음을 맞아 침침한 눈으로 바라보는 근엄한 이여,
시력 없는 눈도 운석처럼 타오르고 기쁠 수 있는 법,
희미해져 가는 빛에 분노하고 또 분노하십시오.

영국의 시인(1914~1953). 첫 시집이 폭발적인 인기를 모으며 젊은 천재시인으로 인정을 받았고, 이후 1930년대를 대표하는
시인이 되었다. 가난에 시달리면서도 위선에 맞서고 전쟁을 증오하며 생명이 넘치는 시를 쓰고자 했다.

육신이 힘을 잃고 늙어간다고 그대로 자연의 법칙에 순명하여 죽음을 기다리지 마십시오.

결국 잠들어버리는 것이 우리의 운명이라지만, 생명의 빛이 사위어가는 것에 분노하십시오.

별똥별이 마지막 빛을 뿜는 것처럼, 황혼이 작렬하는 태양보다 더 아름다운 것처럼, 이제 떠나기 전 이 세상에 좋은 흔적 하나 남기려고 분연히 일어나야 할 때입니다.

영혼의 불꽃을 더욱 치열하게 불사를 때입니다.

삶의 무대는 관객과 배우 역할을 동시에 할 수 있는 가장자리가 더욱 의미 있습니다.

한 알의 모래에서 우주를 보라

## Auguries of Innocence

William Blake

> To see a World in a grain of sand,
> And a Heaven in a wild flower,
> Hold Infinity in the palm of your hand,
> And Eternity in an hour....

# 순수를 꿈꾸며

월리엄 블레이크

> 한 알의 모래 속에서 세계를 보고
> 한 송이 들꽃 속에서 천국을 본다.
> 손바닥 안에 무한을 거머쥐고
> 순간 속에서 영원을 붙잡는다.

영국의 시인·화가(1757~1827). 간결한 시구를 통해 인생의 문제를 깊이 파고들었으며, R. 번스 등과 함께 영국 낭만주의의 선구자가 되었다. 성서의 삽화를 그리는 등 화가로서도 천재성을 보였다. 위 시는 132행에 달하는 장시의 시작 부분이다.

'의상조사義相祖師 법성게法性偈'에도 이와 비슷한 말이 나옵니다. "일미진중함시방一微塵中含十方 일념즉시무량겁一念卽時無量劫". 티끌 하나가 온 우주를 머금었고, 찰나의 한 생각이 끝도 없는 영겁이어라….

눈에 보이는 것이 다가 아닙니다. 티끌이 단지 티끌이 아니고 한 송이 보잘것없는 들꽃이 단지 들꽃이 아닙니다. 우주의 모든 개체들 속에는 완벽한 삼라만상의 조화가 숨어 있습니다. 인간도 무한한 능력과 조화를 갖춘 '소우주'입니다.

지금 내가 숨쉬고 있는 이 순간 속에 내 과거와 미래와 영겁이 있고, 지금 내가 선 이 자리는 무한한 우주공간과 맞물려 있습니다.딱정벌레, 도롱뇽, 풀 한 포기… 아무리 작고 보잘것없는 존재들도 시간과 공간의 거대한 그물 속에 없어서는 안 될 작은 그물눈입니다.

하늘을 쳐다봅니다. 갑자기 지금의 내 자리가 아찔할 정도로 황홀해집니다.

# 일어나 뜨거운 깃발을 흔들자

## Show the Flag

Edgar A. Guest

Show the flag that all may see
That you serve humanity.
Show the flag and let it fly,
Cheering every passer-by.
Men that may have stepped aside,
May have lost their old-time pride,
May behold it there, and then,
Consecrate themselves again.

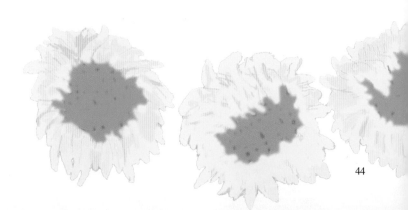

# 깃발을 꺼내라

에드거 A. 게스트

깃발을 꺼내라, 그대가 인류를 위해
몸 바치는 것을 모든 이가 다 보도록.
깃발을 꺼내라, 그리고 흔들어라
지나는 이 모두 기쁨에 들뜨도록.
옆길로 비켜선 사람들
이전의 자부심을 잃은 사람들
모두 다 그 깃발을 보고
다시 힘내어 정진할 수 있도록.

미국의 시인(1881~1959). 신문 편집인에서 칼럼니스트이자 시인으로 전향했다. 읽기 쉬우면서도 호소력 있고 감상적인 시로 대중의 인기를 얻었다.

'대一한민국!' 모두가 하나 되어 지르는 함성 소리에 괜스레 가슴이 벅차옵니다. 혼신을 다해 질주하는 선수들, 숨이 차서 고통에 일그러진 얼굴들, 승리를 위해 치열하게 부릅뜬 눈! 조국의 영광을 위해 사투하는 젊은이들의 모습이 자랑스럽습니다.

　승패를 떠나 하나가 되는 우리의 모습이 새삼스럽고, 우리도 그들을 닮고 싶습니다.

그래서 너무 힘들어 이젠 그만 걷겠다고 옆길로 비켜섰던 사람들, 자신만만했던 시절은 옛말일 뿐 이제는 희망이 없다고 포기해버린 사람들도 자랑스러운 그들을 위해서 깃발을 흔듭니다.

누군가 말하더군요. '내 힘들다'를 거꾸로 하면 '다들 힘내'가 된다고. 힘들어도 다들 힘내 자기 안에 숨어 있는 용기와 인내, 열정의 깃발을 다시 흔들어야겠습니다.

# 누군가의 상처를 이해한다는 건

## Song of Myself

Walt Whitman

.... Agonies are one of my changes of garments,
I do not ask the wounded person how he feels,
I myself become the wounded person,
My hurts turn livid upon me
as I lean on a cane and observe....

# 나의 노래

월트 휘트먼

고뇌는 내가 갈아입는 옷 중 하나이니
나는 상처받은 사람에게 기분이 어떤지 묻지 않는다
나 스스로 그 상처받은 사람이 된다.
내 지팡이에 기대 바라볼 때
내 상처들은 검푸르게 변한다.

미국의 시인(1819~1892). 전통적인 시의 운율과 각운을 무시하고 일상의 언어와 자유로운 리듬을 구사한 시집 《풀잎 (Leaves of Grass)》은 미국 문학사에서 중요한 위치를 차지한다. 민주주의, 평등주의, 동포애를 노래하며 미국 시에 새로운 전통을 세웠다. 위 시는 그의 대표작인 장시 〈나의 노래〉 중 일부이다.

무언가를 이해하려면 진정 그것이 되어야 합니다. 나무를 이해하려면 나무가 되어야 하고 바위를 이해하려면 바위가 되어야 합니다. 상처받은 사람의 아픔을 이해하기 위해서는 '아, 저이는 참 아프겠다'고 생각하는 것만으로는 부족합니다. 그 사람을 오래 바라보고 나도 상처받은 사람이 되어야 합니다. 그렇게 '됨'으로써, 그의 외면의 모습이 아니라 마음을 이해할 수 있습니다.

남이 '될' 수 있는 사람만이 나를 알 수 있습니다. 남의 마음을 이해해야 나를 알고, 나를 알아야 당당하고 아름다운 '나의 노래'를 부를 수 있습니다.

세상이 고통 줘도 작은 사랑만 있으면…

## At a Window

Carl Sandburg

Give me hunger,
O you gods that sit and give
The world its orders.
Shut me out with shame and failure
From your doors of gold and fame....
But leave me a little love,
A voice to speak to me in the day end,
A hand to touch me in the dark room
Breaking the long loneliness....
(Let me go to the window,
Watch there the day-shapes of dusk
And wait and know the coming
Of a little love.)

# 창가에서

칼 샌드버그

제게 배고픔을 주소서.
오, 권좌에 앉아서 이 세상에
명령을 내리시는 당신네, 신들이여.
수치와 실패로 쫓으시어 나를
부귀와 명성의 문에서 떨치소서.
그러나 작은 사랑 하나 남기소서.
길고 긴 외로움을 깨뜨리며
하루가 끝나갈 때 내게 말 건네줄 목소리 하나
어두운 방 안에서 잡아줄 손길 하나.
(저로 하여금 창으로 가서 거기서
어스름 속의 낮의 형상들을 바라보며
기다리게 하시어 작은 사랑 하나 내게
다가옴을 알게 하소서.)

미국의 시인(1878~1967). 스웨덴계 이민자의 집안에서 태어났고, 노동자들이 쓰는 비속어를 시에 도입한 《시카고
(Chicago)》(1914)를 발표해 전통적인 시어에 익숙한 독자들에게 충격을 던졌다. 퓰리처상을 세 번 수상했으며 링컨 연구자
로도 유명하다.

간혹 벌떡 일어나 하늘에 대고 소리치고 싶을 때가 있습니다. '왜 날 못살게 굽니까? 내가 뭘 잘못했다고? 그 높은 권좌에 앉아서 명령만 내리면서 내가 얼마나 힘들고 고통스러운지, 왜 그걸 몰라줍니까?' 하고….

그래도 성에 차지 않으면 '어디 한번 해볼 테면 해보시라'는 오기가 발동할 때도 있습니다. 그러나 마음속 깊이 알고 있습니다. 아무리 큰 고통도 내 아픔을 위로해주는 목소리 하나, 허공에 내미는 손을 잡아주는 손 하나, 그런 작은 사랑이 있으면 견뎌낼 수 있다는 것을 말입니다.

창은 기도의 장소입니다. 하늘을 보고 마음을 여는 곳입니다. 구름이 있어 아름다운 노을을 만들듯이, 어둠 속에 나타나는 별이 더욱 아름다움을 깨닫는 곳입니다.

# 짧은 삶, 긴 고통, 오랜 기쁨

## Cui Bono

Thomas Carlyle

What is Hope? A smiling rainbow
    Children fallow through the wet;
Tis not here, still yonder, yonder;
    Never urchin found it yet.

What is Life? A thawing iceboard,
    On a sea with sunny shore;
Gay we sail; it melts beneath us;
    We are sunk, and seen no more.

What is Man? A foolish baby,
    Vainly strives, and fights, and frets;
Demanding all, deserving nothing;
    One small grave is what he gets.

# 쿠이 보노

토머스 카알라일

희망이란 무엇일까? 미소 짓는 무지개
아이들이 빗속에서 따라가는 것.
눈 앞에 있지 않고 자꾸자꾸 멀리 가서
그걸 찾은 개구쟁이는 없다.

삶이란 무엇일까? 녹고 있는 얼음판
햇볕 따스한 해변에 떠 있는 것.
신나게 타고 가지만 아래서부터 녹아들어
우리는 가라앉고, 보이지 않게 된다.

인간이란 무엇일까? 어리석은 아기
헛되이 노력하고 싸우고 안달하고
아무런 자격도 없이 모든 걸 원하지만
얻는 것은 고작해야 작은 무덤 하나.

영국의 역사가 · 비평가(1795~1881). 청교도 가정에서 성장했고 독일 문학과 관념론 철학을 연구했다. 영웅적 지도자의 필요성을 주장하고 산업주의, 배금주의, 향락주의를 비판했으나 반민주주의적 견해로 인해 사상의 주류가 되지는 못했다.

'쿠이 보노'는 라틴어로 '누구의 이익을 위한 것인가', 또는 '무슨 소용 있는가'라는 뜻입니다. 시인은 '이렇게 덧없이 스쳐가는 삶이 무슨 소용 있을까요?'라고 자문하고 있는 거지요.

희망은 무지개처럼 아름답고 늘 손에 잡힐 듯 가까이 있지만 막상 손을 뻗으면 사라져버리는 것 같습니다.

아등바등 한세상 살다가 결국 차지하는 것은 작은 무덤 하나. 그래도 마치 빚 독촉 하듯이 우리는 조금만 더, 조금만 더 달라고 철없는 아기처럼 보챕니다. 우리가 타고 가는 얼음판은 지금도 자꾸만 작아지고 있는데 말입니다.

하지만 결국 빈털터리로 간다고 해도 그런 욕망이 없다면 무슨 재미로 살까요? 곧 사라져버린다 해도 무지개는 여전히 아름답고 당장 손에 잡히지 않는다 해도 희망은 그 존재만으로 삶의 기둥이 됩니다.

삶이 짧다고 해서 우리가 겪는 고통이 짧거나 기쁨이 더 작아 보이지는 않습니다. 우리가 사는 하루하루가 바로 삶의 축약판이니까요.

# 고통을 기쁨으로 받아들일 수 있다면...

## Alchemy

Sara Teasdale

I lift my heart as spring lifts up
A yellow daisy to the rain;
My heart will be a lovely cup
Altho' it holds but pain.

For I shall learn from flower and leaf
That color every drop they hold,
To change the lifeless wine of grief
To living gold.

# 연금술

새러 티즈데일

봄이 빗속에 노란 데이지꽃 들어올리듯
나도 내 마음 들어 건배합니다.
고통만을 담고 있어도
내 마음은 예쁜 잔이 될 겁니다.

빗물을 방울방울 물들이는
꽃과 잎에서 나는 배울 테니까요.
생기 없는 슬픔의 술을 찬란한 금빛으로
바꾸는 법을.

미국의 여류시인(1884~1933). 개인적인 주제의 짧은 서정시가 고전적 단순성과 차분한 강렬함으로 주목을 받았다. 《사랑의
노래(Love Songs)》(1917)로 퓰리처상을 받았다.

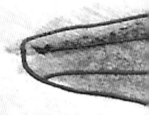

봄비를 함빡 머금은 노란 데이지꽃이 마치 맑은 술이 담긴 잔같이 보입니다. 무색의 빗물은 꽃 안에서 예쁜 금빛이 됩니다.

우리의 마음도 잔과 같습니다. 때로는 희망과 기쁨을, 때로는 절망과 슬픔을 담게 됩니다. 시인의 마음속 잔에는 지금 고통만이 담겨 있습니다. 하지만 빗물을 금빛으로 변화시키는 데이지꽃처럼 시인은 고통을 기쁨으로 바꾸겠다고 말합니다. 그러면 시인의 마음은 데이지꽃 못지않은 예쁜 잔이 되겠지요.

우리 마음의 잔에는 쓰디쓴 고통만이 담겨 있을 때가 많습니다. 그것을 찬란한 지혜, 평화, 기쁨으로 바꾸는 것이 삶의 연금술이지요.

그건 아는데, 머리로는 뻔히 아는데, 정말 시인이 말하는 것처럼 멋진 삶의 연금술사가 되기란 얼마나 힘이 드는지요.

탐욕에 찌든 인간들은 들으라

## Inscription on the Monument of a Newfoundland Dog

George Gordon Lord Byron

Near this spot
are deposited the remains of one
who possessed beauty without vanity
strength without insolence
courage without ferocity
and all the virtues of man without his vices.
This praise, which would be unmeaning flattery
if inscribed over human ashes,
is but a just tribute to the memory of
Boatswain, a dog
who was born at Newfoundland, May, 1803,
and died at Newstead Abbey, Nov. 18, 1808.

# 어느 뉴펀들랜드 개의 묘비명

조지 고든 바이런

여기에
그의 유해가 묻혔도다.
그는 아름다움을 가졌으되 허영심이 없고
힘을 가졌으되 거만하지 않고
용기를 가졌으되 잔인하지 않고
인간의 모든 덕목을 가졌으되 악덕은 갖지 않았다.
이러한 칭찬이 인간의 유해 위에 새겨진다면
의미 없는 아부가 되겠지만
1803년 5월 뉴펀들랜드에서 태어나
1808년 11월 18일 뉴스테드 애비에서 죽은
개 보우슨의
영전에 바치는 말로는 정당한 찬사이리라.

영국의 낭만주의 시인(1788~1824). 비통한 서정, 날카로운 풍자, 근대적 고뇌가 담긴 작품들을 썼다. 유럽 여인들의 가슴을 설레게 했던 미남으로 여러 가지 스캔들에 시달리다가 28세에 고국을 등지고 이탈리아, 그리스의 독립운동을 돕던 중 열병에 걸려 이국에서 생을 마쳤다.

바이런이 자신의 개 보우슨이 죽었을 때 쓴, 실제로 개의 묘비에 새겨진 시입니다. 사랑하는 개의 죽음을 애도하고 있지만, 동시에 겉모습이 좀 아름다우면 잘난 척하고, 힘 좀 있으면 오만하고, 용기 좀 있으면 잔인해지는 인간들의 야비한 성향을 꼬집고 있지요.

묘비에는 이 시 밑에 좀더 작은 글씨로 인간성을 더욱 신랄하게 풍자하는 장시가 적혀 있습니다. "오, 노역으로 타락하고 권력으로 부패한 인간, 시간의 차용자여, 당신의 사랑은 욕망일 뿐이요, 당신의 우정은 속임수, 당신의 미소는 위선, 당신의 언어는 기만이리니! 〔…〕 내 생애 진정한 친구는 단 하나였고, 여기에 그가 묻혀 있도다."

기껏해야 '시간의 차용자'인 주제에 마치 영원히 살 듯, 내일 좀더 사람답게 살아야지 생각하고, 오늘은 달면 삼키고 쓰면 뱉으며 의리 없이 살아가는 저의 마음에 경종을 울립니다.

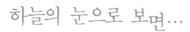

하늘의 눈으로 보면…

## Flower in the Crannied Wall

Alfred Lord Tennyson

Flower in the crannied wall,
I pluck you out of the crannies;
Hold you here, root and all, in my hand,
Little flower — but if I could understand
What you are, root and all, and all in all,
I should know what God and man is.

# 암벽 사이에 핀 꽃

앨프레드 테니슨

틈이 벌어진 암벽 사이에 핀 꽃
그 암벽 틈에서 널 뽑아들었다.
여기 뿌리까지 널 내 손에 들고 있다.
작은 꽃 — 하지만 내가 너의 본질을
뿌리까지 송두리째 이해할 수 있다면
하느님과 인간이 무언지 알 수 있으련만.

영국의 시인(1809~1892). W. 워즈워스의 뒤를 이어 계관시인이 되었다. 《사우보思友譜(In Memoriam)》(1850)가 걸작으로
꼽히고, 여왕으로부터 작위를 받아 빅토리아 시대의 국보적 존재가 되었다.

길을 가다가 문득 암벽 사이에서 작은 풀꽃 하나를 발견합니다. 딱딱한 바위틈에 뿌리를 내리고 피어 있는 게 신기해서 손에 들고 자세히 들여다보니, 아주 작지만 섬세한 꽃술과 꽃잎, 꽃받침까지 완벽합니다. 전에는 진한 향기를 풍기며 흐드러지게 피는 꽃들에 취해서 그 소박한 아름다움을 보지 못했을 뿐입니다. 아무도 모르는 곳에 숨어서 아름다움을 발하는 생명 자체가 모두 신비이고 신의 축복이라는 걸 미처 몰랐을 뿐입니다.

척박한 암벽 사이에서도 작은 풀꽃이 피듯이, 가난하고 힘든 생활 속에서도 우리는 꽃을 피웁니다. 거창한 명분을 떠들어대는 사람들 뒤에서 우리는 오늘도 성실하게 하루를 살아갑니다. 힘센 자들이 잘난 척 뽐내는 몸짓 뒤에서 묵묵히 제 갈 길을 걸어갑니다. 그렇다고 누구 하나 칭찬하고 알아주는 사람 없지만, 하늘의 눈으로 보면 우리의 삶은 추호도 부끄러움이 없습니다.

# 꿈과 희망 간직한 그대, 영원히 젊으리

## Youth

Samuel Ullman

Youth is not a time of life; it is a state of mind;
it is not a matter of rosy cheeks, red lips and supple knees;
it is a matter of the will, a quality of the imagination,
    a vigor of the emotions....
Youth means a temperamental predominance of courage over timidity,
    of the appetite for adventure over the love of ease.
This often exists in a man of sixty more than a boy of twenty.
Nobody grows old merely by a number of years.
We grow old by deserting our ideals....
In the center of your heart and my heart there is a wireless station;
so long as it receives messages of beauty, hope, cheer, courage
and power from men and from the infinite, so long are you young....

# 젊음

사무엘 얼먼

젊음은 인생의 한 시기가 아니요, 마음의 상태이다.
장밋빛 볼과 붉은 입술, 유연한 무릎이 아니라
의지와 풍부한 상상력과 활기찬 감정에 달려 있다.
젊음이란 기질이 소심하기보다는 용기에 넘치고,
수월함을 좋아하기보다는 모험을 좇는 것이고
이는 스무 살 청년에게도, 예순 노인에게도 있다.
단지 나이를 먹는다고 늙는 것은 아니다.
이상理想을 버릴 때 우리는 늙는다.
그대와 나의 가슴 한가운데에는 무선국이 있다.
그것이 사람들로부터 또는 하늘로부터 아름다움과 희망과 활기,
용기와 힘의 메시지를 수신하는 한, 그대는 영원히 젊으리라.

미국의 시인 · 작가(1840~1924). 독일에서 태어나 11세 때 미국으로 이주했다. 교육과 사회사업에 종사했고 억압받는 흑인들을 위해 '얼먼 스쿨'을 세웠다. 80세 생일을 기념해 출판된 시집에 실린 이 시는 맥아더 장군에 의해 널리 알려졌다.

늘 젊은이들과 함께 생활하면서 그들의 아름다움, 활력, 명민함에 부러움을 느낄 때가 많습니다. 이제 젊은 그들에게 삶의 무대를 내어주고 관람석으로 내려가야 할 때라고 느낄 때도 있습니다.

그러나 아직 너무나 푸른 그들은 젊기 때문에 미래를 탐색하며 방황하고, 길을 잃고 넘어지기도 합니다. 삶의 연륜과 이해, 사랑으로 내미는 손이 필요합니다. 육신이 늙었든 젊었든 우리 모두의 마음속에 있는 무선국이 서로에게 희망을 송신하는 것이 필요합니다.

"나이는 숫자에 불과하다"는 어느 광고 카피가 생각납니다. 마음속에 이상을 가지면 영혼이 늙지 않는다고 시인은 말합니다. 그 어떤 삶의 자리에서도 꿈을 갖는 것이 중요합니다. 열정으로 늘 푸른 젊음을 위하여….

# 삶이 한 편의 동화라면...

## Fairy Tale

Gloria Vanderbilt

There once was a child
living every day
Expecting tomorrow
to be different from today.

# 동화

글로리아 밴더빌트

옛날 날마다
내일은 오늘과 다르길
바라며 살아가는
한 아이가 있었습니다.

미국의 여류시인 · 디자이너(1924~). 철도왕 윌리엄 밴더빌트의 딸로 두 살 때 부친이 사망하자 400만 달러를 상속받았다.
탁월한 예술적 감각을 발휘해 직접 디자인한 청바지로 대성공을 거뒀고, 1955년 첫 시집을 발표하며 시인으로도 활동했다.

한 문장으로 된 짧은 시의 제목이 〈동화〉입니다. 어렸을 적에 읽었던 동화들은 모두 해피 엔딩으로 끝났습니다. 징그러운 두꺼비가 멋진 왕자로 변하고, 무서운 마녀 때문에 탑 꼭대기에 갇혔던 공주는 다시 자유로운 몸이 됩니다. 모든 고난과 질시는 다 지나가고 행복과 평화만 남습니다.

삶에는 그렇게 완벽한 해피 엔딩이 그닥 많지 않습니다. 그렇지만 "내일은 오늘과 다르길" 바라는 희망이 있습니다. 오늘이 고달파도 내일은 좀 더 나아지리라는 희망, 오늘은 깜깜한 터널이지만 내일은 어디선가 한 줄기 빛이 보이리라는 희망이 있습니다.

그래서 삶은 아름다운 동화입니다.

2···  슬픔을 알기에 행복의 의미도 알고, 죽음이 있어서 생명의 귀함을 알게 되고, 실연의 고통이 있기 때문에 사랑이 더욱 값지고, 눈물이 있기 때문에 웃는 얼굴이 더욱 눈부시지 않은가요. 하루하루 버겁고 극적인 삶이 있기 때문에 평화를 더욱 원하고, 내일의 희망과 꿈을 가질 수 있는 것처럼 말입니다.

# 삶이 늘 즐겁기만 하다면

## If All the Skies Were Sunshine

Henry Van Dyke

If all the skies were sunshine,
Our faces would be fain
To feel once more upon them
The cooling splash of rain.

If all the world were music,
Our hearts would often long
For one sweet strain of silence,
To break the endless song.

If life were always merry,
Our souls would seek relief,
And rest from weary laughter
In the quiet arms of grief.

# 하늘에 온통 햇빛만 가득하다면

헨리 밴 다이크

하늘에 온통 햇빛만 가득하다면
우리 얼굴은
시원한 빗줄기를 한 번 더
느끼길 원할 겁니다.

세상에 늘 음악 소리만 들린다면
우리 마음은
끝없이 이어지는 노래 사이사이
달콤한 침묵이 흐르기를 갈망할 겁니다.

삶이 언제나 즐겁기만 하다면
우리 영혼은
차라리 슬픔의 고요한 품 속
허탈한 웃음에서 휴식을 찾을 겁니다.

미국의 시인 · 수필가(1852~1933). 장로교 목사 안수를 받은 뒤 20여 년간 목회활동을 했다. 프린스턴 대학에서 영문학을
가르쳤고 네덜란드 주재 미국 대사를 지냈다. 소설 《네 번째 동방박사(The Story of the Fourth Wise Man)》가 널리 알려
졌다.

소나기 한번 내리지 않고 바람 한 줄기 없이 햇볕만 가득한 날씨, 소음 하나 없이 아름다운 음악 소리만 가득한 세상, 늘 행복해서 언제나 미소 짓는 사람들만 있는 세상, 걱정거리 하나 없고 미워할 사람 하나 없고 훌륭한 사람들만 가득한 세상, 그런 세상이 꼭 좋은 것만은 아닐지도 모릅니다.

슬픔을 알기에 행복의 의미도 알고, 죽음이 있어서 생명의 귀함을 알게 되지요. 실연의 고통이 있기 때문에 사랑이 더욱 값지고, 눈물이 있기 때문에 웃는 얼굴이 더욱 눈부시지 않은가요.

하루하루 버겁고 극적인 삶이 있기 때문에 평화를 더욱 원하고, 내일의 희망과 꿈을 가질 수 있는 것처럼 말입니다.

# 우울한 먹구름과 황홀한 장미 사이

## Life

Charlotte Brontë

Life, believe, is not a dream,
　　So dark as sages say;
Oft a little morning rain
　　Foretells a pleasant day.
Sometimes there are clouds of gloom,
　　But these are transient all;
If the shower will make the roses bloom,
　　Oh, why lament its fall?....

# 인생

살럿 브론테

인생은 정말이지 현자들 말처럼
그렇게 어두운 꿈은 아니랍니다.
가끔 아침에 조금 내리는 비는
화창한 날을 예고하지요
때로는 우울한 먹구름이 끼지만
머지않아 지나가버립니다.
소나기가 내려서 장미를 피운다면
아, 소나기 내리는 걸 왜 슬퍼하죠?

영국의 소설가(1816~1855). 동생 에밀리, 앤과 함께 세 자매 모두 소설가로 유명하다. 어려서 어머니와 두 언니를 여의고
나중에는 동생을 셋이나 잃는 등 죽음의 그림자가 늘 따라다녔다. 인습과 도덕에 대한 반항으로 세인의 주목을 끈 《제인 에
어》(1847)가 대표작이다.

살다보면 마치 온 세상이 다 내 것인 양, 한없이 기쁘고 희망에 찰 때가 있습니다. 그러나 그런 시간이 오래가지는 않습니다. 살다보면 죽고 싶을 정도로 슬프고 절망스러울 때가 있습니다. 그러나 그런 시간도 오래가지 않습니다. 기쁜가 하면 슬프고, 슬픈가 하면 기쁜 게 인생입니다.

어느 축구 해설자가 말하더군요. "그라운드의 명선수는 얼만큼 넘어지지 않는가에 달려 있지 않습니다. 얼만큼 넘어졌다 다시 일어나는가에 달려 있습니다." 인생의 그라운드도 마찬가지 아닐까요. 넘어져도 다시 일어날 줄 아는 사람이 인생이라는 게임의 명선수겠지요. 오늘 내리는 소나기는 내일 화사한 장미를 피우는 전조니까요.

오늘이 아름다우면 삶이 아름답다

## The Noble Nature

Ben Jonson

It is not growing like a tree
In bulk, doth make man better be;
Or standing long an oak, three hundred year,
To fall a log at last, dry, bald, and sear:
A lily of a day
Is fairer far in May,
Although it fall and die that night,—
It was the plant and flower of Light.
In small proportions we just beauties see;
And in short measures life may perfect be.

# 고귀한 자연

벤 존슨

보다 나은 사람이 되는 것은
나무가 크게만 자라는 것과 다르다.
참나무가 3백 년 동안이나 오래 서 있다가
결국 잎도 못 피우고 마른 통나무로 쓰러지기보다
하루만 피었다 지는
5월의 백합이 훨씬 더 아름답다.
비록 밤새 시들어 죽는다 해도
그것은 빛의 화초요, 꽃이었으니.
작으면 작은 대로의 아름다움을 보고,
삶을 짧게 나눠보면 완벽할 수 있는 것을.

영국의 시인 · 극작가 · 평론가(1572~1637). 셰익스피어 희극에 대한 반항으로 풍자적이고 사실적인 최초의 기질희극氣質喜劇 《심인심색(Every Man in His Humour)》(1598)을 선보이며 크게 인기를 얻었다. 제임스 1세의 총애를 받으며 사실상 최초의 계관시인이 되었다.

3백 년을 살아도 그저 버릇처럼 무덤덤하게 사는 것보다는 하루를 살아도 빛을 발하며 강렬하게 사는 것이 낫다고 시인은 말합니다. 지리멸렬하게 오래 사는 것보다 영혼의 빛을 발하며 짧고 굵게 사는 게 더 아름답다고 말입니다.

삶을 거대한 그림 퍼즐로 생각하면 우리가 하루하루 살아가는 건 작은 조각들을 하나씩 메워가는 일입니다. 무슨 그림이든 붓 터치 한 번으로 대작을 그릴 수는 없지요. 하루에 조금씩, 작으면 작은 대로의 예쁜 그림을 그리는 일부터 시작해야겠지요. 오늘이라는 내 인생의 한 조각을 예쁘게 칠하면 그 그림은 작지만 나름대로 완벽할 수 있으니까요.

5월의 백합은 무척 향기롭고 아름답습니다. 헌데 덩치만 크면서 누가 뭐래도 꿋꿋이, 말라 비틀어져 쓰러질 때까지 3백 년을 버티는 참나무의 인내와 끈기도 참 멋지지 않나요?

# 그대 어깨 위로 늘 무지개 뜨기를

Cherokee Prayer Blessing

May the warm winds of heaven
Blow softly upon your house.
May the great spirit
Bless all who enter there.
May your moccasins
Make happy tracks
in many snows,
and may the rainbow
Always touch your shoulder.

# 체로키 인디언의 축원 기도

하늘의 따뜻한 바람이
그대 집 위로 부드럽게 일기를.
위대한 신이 그 집에
들어가는 모든 이들을 축복하기를.
그대의 모카신 신발이
눈 위에 여기저기 행복한
흔적 남기기를,
그리고 그대 어깨 위로
늘 무지개 뜨기를.

체로키 인디언은 미국 남동부, 애팔래치아 산맥 남부에 거주하는 인디언 부족이다. 북미 대륙에서 유일하게 문자를 가진 인디언으로서 백인 문화를 적극적으로 받아들였다. 19세기 후반 오클라호마의 보호구역으로 강제 이주를 당했다.

누군가 새 집으로 이사 가는 이가 있다면 행복을 축원하는 마음으로 선물하고 싶은 기도문입니다. 아니, 꼭 새 집이 아니더라도 무언가 새로운 일을 시작하는 이에게도 괜찮겠지요.

무슨 일을 하든, 무슨 계획을 세우든, 그것은 새로 집을 짓는 일과 같습니다. 벽돌 한 장부터 천천히, 조바심 내지 말고 기초부터 단단히, 행복한 집이 되기를 원하는 간절한 마음으로, 새롭게 시작하는 나 자신을 기특하게 여기고, 나를 도와주고 지켜봐주는 사람들에게 감사하고, 아, 그리고 "그대 어깨 위로 늘 무지개 뜨기를" 하고 남의 행복을 위해 기도하는 마음도 꼭 필요합니다.

신은 나보다 남을 위해 기도하는 이들을 더욱 축복한다지요.

# 삶에는 수백 갈래 길이 있지만...

## The Road Not Taken

Robert Frost

Two roads diverged in a yellow wood,
And sorry I could not travel both
And be one traveler, long I stood
And looked down one as far as I could
To where it bent in the undergrowth;

Then took the other, as just as fair,
And having perhaps the better claim....
Oh, I kept the first for another day!
Yet knowing how way leads on to way,
I doubted if I should ever come back.

I shall be telling this with a sigh
Somewhere ages and ages hence:
Two roads diverged in a wood, and I—
I took the one less traveled by,
And that has made all the difference.

# 가지 못한 길

로버트 프로스트

노랗게 물든 숲속의 두 갈래 길,
몸 하나로 두 길 갈 수 없어
아쉬운 마음으로 그곳에 서서
덤불 속으로 굽어든 한쪽 길을
끝까지 한참을 바라보았다.

그러고는 다른 쪽 길을 택하였다. 똑같이
아름답지만 그 길이 더 나을 법하기에.
아, 먼저 길은 나중에 가리라 생각했는데!
하지만 길은 또 다른 길로 이어지는 법.
다시 돌아오지 못할 것을 알고 있었다.

지금으로부터 먼먼 훗날 어디에선가
나는 한숨 쉬며 이렇게 말할 것이다.
어느 숲속에서 두 갈래 길 만나 나는―
나는 사람이 적게 다닌 길을 택했노라고.
그리고 그것 때문에 모든 게 달라졌다고.

미국의 시인(1874~1963). 케네디 대통령 취임식에서 자작시를 낭송하는 등 미국의 계관시인과 같은 존재였으며, 퓰리처상을 4회나 수상했다. 뉴잉글랜드 지방의 소박한 농민과 자연을 노래함으로써 현대 미국 시인 중 가장 순수한 고전적 시인으로 꼽힌다.

프로스트의 대표작으로서 자주 접하게 되는 시이지만, 숲이 노랗게 물드는 사색의 계절이 되면 더욱 생각납니다. 오래전 학생 시절, 영어 교과서에 실렸던 이 시를 설명하면서 선생님은 말씀하셨습니다.

"그래, 삶은 하나의 길을 따라가는 여정이다. 시 속의 화자는 두 갈래 길을 만났지만 너희들 앞에는 수십 갈래, 수백 갈래 길이 있다. 군중을 따라가지 말고, 사람이 적게 다녀도 정말로 가치 있고 진정 너희들이 좋아할 수 있는 길을 택해라."

그러나 그 수백 갈래 길 중에 정말 가치 있는 길이 어딘지 알 수 없었습니다. 길은 또 다른 길로 이어지고, 엉뚱한 길로 빠지기도 합니다. 지금 삶의 뒤안길에 서서 생각하면, 마음속에 가지 못한 길에 대한 회한이 가득합니다. 차라리 그때 그 길로 갔더라면…. 그러나 이제 되돌아가기에는 너무 늦었습니다. 내가 선택한 길을 믿으며 오늘도 터벅터벅, 한 발자국이라도 더 앞으로 나아갈 뿐입니다.

# 머리를 쳐들고 끝까지 GO!

## See It Through

Edgar A. Guest

When you're up against a trouble,
Meet it squarely, face to face....
You may fail, but you may conquer,
See it through!....
Even hope may seem but futile,
When with troubles you're beset,
But remember you are facing
Just what other men have met.
You may fail, but fall still fighting;
Don't give up, whate'er you do;
Eyes front, head high to the finish.
See it through!

# 끝까지 해보라

에드거 A. 게스트

네게 어려운 일이 생기면
마주 보고 당당하게 맞서라.
실패할 수 있지만, 승리할 수도 있다.
한번 끝까지 해보라!
네가 근심거리로 가득 차 있을 때
희망조차 소용없어 보일지도 모른다.
그러나 지금 네가 겪고 있는 일들은
다른 이들도 모두 겪은 일일 뿐이다.
실패한다면, 넘어지면서도 싸워라.
무슨 일을 해도 포기하지 말라.
마지막까지 눈을 똑바로 뜨고, 머리를 쳐들고
한번 끝까지 해보라!

미국의 시인(1881~1959). 신문 편집인에서 칼럼니스트이자 시인으로 전향했다. 읽기 쉬우면서도 호소력 있고 감상적인 시로 대중의 인기를 얻었다.

　가끔씩 왜 내 삶은 이럴까, 생각할 때가 있습니다. 남들 인생은 탄탄대로로 잘도 나가는데 왜 내 삶은 이렇게 사사건건 꼬이고 늘 막다른 골목으로 치닫는지요. 모든 것을 버리고 어디론가 떠나 아무도 없는 곳에 숨어버리고 싶습니다.

　하지만 시인은 우리네 삶은 다 거기서 거기, 남들이 메고 가는 인생의 짐도 만만치 않다고 말합니다. 그들의 삶도 다 나만큼 힘들지만 나보다 좀 더 용기 있게, 당당하게, 씩씩하게 살아서 그 짐이 가벼워 보이는 건지도 모릅니다. 피할 수 없는 것은 차라리 즐기라는 말이 있습니다. 시인은 절대 포기하지 말고 '끝까지 해보라' 고 충고합니다.

　삶은 예측불허. 진흙탕길도 끝까지 가면 씽씽 잘 나가는 고속도로로 연결될지 아무도 모르기 때문입니다.

눈오는 산, 저 참나무같이

## The Oak

Alfred Lord Tennyson

Live thy Life,
Young and old,
Like yon oak,
Bright in spring,
Living gold;
Summer-rich
Then; and then
Autumn-changed
Soberer-hued
Gold again.
All his leaves
Fall'n at length,
Look, he stands,
Trunk and bough
Naked strength.

# 참나무

앨프레드 테니슨

젊거나 늙거나
저기 저 참나무같이
네 삶을 살아라.
봄에는 싱싱한
황금빛으로 빛나며
여름에는 무성하고
그리고, 그리고 나서
가을이 오면 다시
더욱 더 맑은
황금빛이 되고
마침내 나뭇잎
모두 떨어지면
보라, 줄기와 가지로
나목 되어 선
저 발가벗은 '힘'을.

영국의 시인(1809~1892). W. 워즈워스의 뒤를 이어 계관시인이 되었다. 《사우보思友譜(In Memoriam)》(1850)가 걸작으로 꼽히고, 여왕으로부터 작위를 받아 빅토리아 시대의 국보적 존재가 되었다.

시 속의 풍경은 겨울입니다. 천지에 낙엽이 휘날리다가 나무들이 모두 발가벗고 선 겨울. 겨울나무는 봄처럼 부활의 희망을 얘기하지도 않고, 여름처럼 성숙의 풍요로움을 말하지도 않으며, 가을처럼 황금빛 결실을 얘기하지도 않습니다. 봄과 여름의 무성한 삶의 자취를 거두고, 겉옷마저 벗고 온몸을 드러낸 채, 가지마다 스치는 차가운 바람 속에 스산한 모습으로 서 있습니다.

하지만 겨울나무는 죽은 게 아닙니다. 단지 숨을 고르며 인내로 기다리고 있을 뿐, 생명의 힘은 더욱 더 세게 고동칩니다. 다시 한 번 부활의 봄을 기다리면서 발가벗은 힘을 발휘하고 있습니다.

우리 삶도 마찬가지입니다. 하루하루 사는 게 발가벗고 찬바람 맞으며 선 나무같이 춥고 삭막합니다. 그래도 우리가 누굽니까. 절대 죽지 않습니다. 다시 한 번 일어설 부활의 그날을 기다리며 내공을 쌓을 뿐입니다. 시인이 말하는 저기 저 참나무처럼.

인생 거울

## Life's Mirror

Madeline Bridges

....Give the world the best you have,
And the best will come back to you.
Give love, and love to your life will flow,
A strength in your utmost need,
Have faith, and a score of hearts will show
Their faith in your word and deed....
For life is the mirror of king and slave,
'Tis just what we are and do;
Then give to the world the best you have,
And the best will come back to you.

# 인생 거울

매들린 브리지스

당신이 갖고 있는 최상의 것을 세상에 내놓으십시오.
그러면 최상의 것이 당신에게 돌아올 것입니다.
사랑을 주십시오, 그러면 당신 삶에 사랑이 넘쳐흐르고
당신이 심히 곤궁할 때 힘이 될 것입니다.
믿음을 가지십시오, 그러면 수많은 사람들이
당신의 말과 행동에 믿음을 보일 것입니다.
왜냐하면 삶은 왕과 노예의 거울이고,
우리의 모습과 행동을 그대로 보여주는 법.
그러니 당신이 세상에 최상의 것을 내놓으면
최상의 것이 당신에게 돌아올 것입니다.

미국의 여류시인(1844~1920). 본명이 메리 에인지 드 비어(Mary Ainge de Vere)라는 사실 외에 그녀의 삶에 대해 많이 알려지지 않았다.

《정글북》의 작가 러디어드 키플링은 아들에게 주는 편지에서 "인생의 비밀은 단 한 가지, 네가 세상을 대하는 것과 똑같은 방식으로 세상도 너를 대한다는 것이다. [⋯] 네가 세상을 향해 웃으면 세상은 더욱 활짝 웃을 것이요, 네가 찡그리면 세상은 더욱 찌푸릴 것이다"라고 말합니다. 시인도 마찬가지로 '인생 거울'을 말하고 있습니다. 세상은 거울 같아서 내 모습 그대로 나를 비추고, 내가 주는 만큼 내게 되돌려준다는 거지요.

하지만 때로는 죽을힘 다해 좋은 것을 내놔도 세상은 발길질하기 일 쑤입니다. 사랑을 주어도 미움만 돌아오고, 믿음을 주면 배신당하기도 합니다. 그러나 키플링이나 시인은 확률을 말하고 있습니다. 내가 세상을 좋게 대하면 세상이 나를 좋게 대할 확률이 높아지겠지요. 그리고 내가 최선을 다하면 적어도 나 자신에게 부끄럽지 않습니다.

그러니 '인생 거울', 아침마다 한 번쯤 들여다보고 속삭여야겠습니다. "난 오늘 네게 최고의 것을 줄 거야. 난 그렇게 할 수 있어⋯."

# 사소한 일에 목숨 걸어라

## Be the Best of Whatever You Are

Douglas Malloch

If you can't be a pine on the top of the hill
Be a scrub in the valley—but be
The best little scrub by the side of the rill;
Be a bush if you can't be a tree.

If you can't be a bush be a bit of the grass
And some highway happier make....
We can't all be captains, we've got to be crew
There's something for all of us here.

If you can't be a highway then just be a trail,
If you can't be the sun, be a star;
It isn't by size that you win on you fail—
Be the best of whatever you are!

# 무엇이 되든 최고가 되어라

더글러스 맬록

언덕 위의 소나무가 될 수 없다면
골짜기의 관목이 되어라. 그러나
시냇가의 제일 좋은 관목이 되어라.
나무가 될 수 없다면 덤불이 되어라.

덤불이 될 수 없다면 한 포기 풀이 되어라.
그래서 어떤 고속도로를 더욱 즐겁게 만들어라.
모두가 다 선장이 될 수는 없는 법, 선원도 있어야 한다.
누구에게나 여기서 할 일은 있다.

고속도로가 될 수 없다면 오솔길이 되어라.
태양이 될 수 없다면 별이 되어라.
네가 이기고 지는 것은 크기에 달려 있지 않다.
무엇이 되든 최고가 되어라!

미국의 명상시인·칼럼니스트(1877~1938). 특히 자연이나 환경보존에 관한 시를 썼으며 '만족의 철학'을 실현하며 평화로운 삶을 추구했다. 〈생명에 관한 서정시(Lyrics of Life)〉 등을 발표했다.

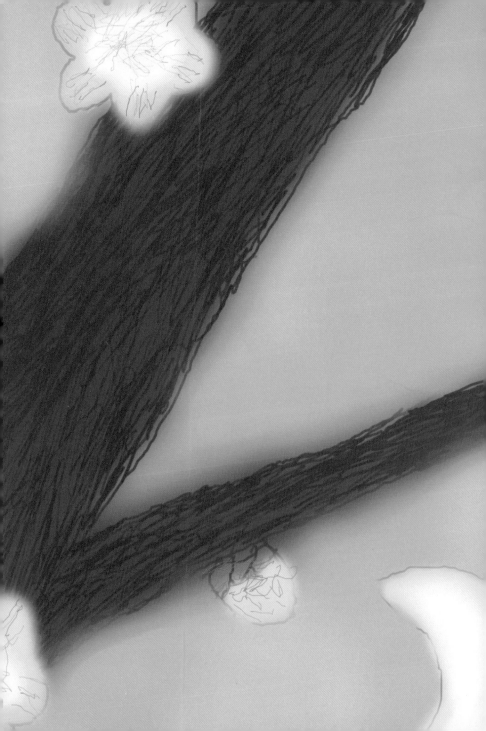

우리는 언젠가 위대한 일을 하게 될 날을 꿈꾸며 삽니다. 이왕 태어난 인생, 한번 화끈하게, 만인이 각광하는 멋진 일을 해보이고 싶습니다. 최선을 다하면 나도 남과 같이 무엇이든 보란 듯이 잘해낼 수 있다는 걸 잘 알고 있습니다. 그런데 도대체 최선을 다할 기회가 주어지지 않습니다. 기껏해야 쩨쩨한 일만 내게 돌아오니 최선을 다할 필요조차 없습니다.

그러나 시인은 지금 내가 무슨 일을 하든 그 일에 최선을 다하고, 지금 내 속에 있는 최선의 것을 끄집어내는 것이야말로 진정한 성공이라고 말합니다. 《사소한 것에 목숨 걸지 마라》, 어느 책의 제목입니다. 하지만 사소한 일에도 목숨 거는 게 중요합니다. 사소한 일이 쌓이면 큰일이 되고, 손 가까이에 있는 일부터 시작해서 최고가 되면 기회는 저절로 오게 마련입니다.

태양만이 위대한 것이 아닙니다. 밤하늘에 또렷이 빛나는 별도 아름답습니다.

# '운명의 횡포'에 굴하지 않으리

## Invictus

William Ernest Henley

Out of the night that covers me,
Black as the Pit from pole to pole,
I thank whatever gods may be
For my unconquerable soul.

In the fell clutch of circumstance
I have not winced nor cried aloud.
Under the bludgeonings of chance
My head is bloody, but unbowed....

It matters not how strait the gate,
How charged with punishments the scroll,
I am the master of my fate;
I am the captain of my soul.

# 굴하지 않는다

윌리엄 어네스트 헨리

온 세상이 지옥처럼 캄캄하게
나를 엄습하는 밤에
나는 그 어떤 신이든, 신에게 감사한다.
내게 굴하지 않는 영혼 주셨음을.

생활의 그악스러운 손아귀에서도
난 신음하거나 소리 내어 울지 않았다.
우연의 몽둥이에 두들겨 맞아
머리에서 피가 흘러도 고개 숙이지 않는다.

천국의 문이 아무리 좁아도,
저승의 명부가 형벌로 가득 차 있다 해도
나는 내 운명의 지배자요,
내 영혼의 선장인 것을.

영국의 시인 · 비평가(1849~1903). 유년 시절 결핵으로 한쪽 다리를 잃었고, 에든버러에서 저널리스트로 일하며 시를 썼다.
S. 파머와 함께 편찬한 《속어사전》이 널리 사용된다.

어렸을 때 결핵으로 한쪽 다리를 절단해야 했던 시인은 어른이 되어서도 온갖 병마에 시달립니다. 그러나 정말이지 온 세상이 깜깜해지는 절망과 고통 속에서도 자신을 포기하지 않습니다. 아니, 오히려 분연히 일어나 운명의 횡포에 맞서 싸웁니다. 걸핏하면 야비하게 뒤통수를 내려치는 '우연의 몽둥이'에 죽도록 맞아도 고개 숙이지 않습니다. 고개 숙인다는 것은 곧 굴하는 것이기 때문입니다. 시인의 의지와 투지가 비장하다 못해 슬프기까지 합니다.

하지만 "나는 내 운명의 지배자요, 내 영혼의 선장인 것을." 이런 믿음이라면 무얼 못하겠습니까. 운명도 길을 내주고 피해갈 것 같습니다.

외줄타기 힘들어도 떨어질 수 없잖아

## Resumé

Dorothy Parker

Razors pain you;
Rivers are damp;
Acids stain you;
And drugs cause cramp.
Guns aren't lawful;
Nooses give;
Gas smells awful;
You might as well live.

# 다시 시작하라

도로시 파커

면도칼은 아프고,
강물은 축축하다.
산酸은 얼룩을 남기고
약은 경련을 일으킨다.
총기 사용은 불법이고
올가미는 풀리며
가스는 냄새가 지독하다.
차라리 사는 게 낫다.

미국의 여류시인 · 작가 · 비평가(1893~1967). 드라마 비평가로 활약하다가 신랄한 독설로 많은 물의를 일으켰다. 위트와 냉소가 가득한 작품들을 남겼고, 유태인이지만 흑인들로부터 존경받았다.

　가끔 우리 살아가는 모습이 꼭 외줄타기 광대와 같다
는 생각을 합니다. 어디 기댈 곳도, 함께할 사람도 없이 홀
로 외줄을 타고 한 발자국씩 내딛습니다. 손에 잡은 균형대
의 한쪽은 생명의 끈, 또 다른 쪽은 희망의 끈을 매달고 조
심조심 앞으로 갑니다. 조금만 발을 헛디뎌도 그대로 공중
낙하, 아니, 열심히 집중하고 걸어도 예기치 않게 어디선가
날아오는 돌멩이에 뒤통수를 맞기도 합니다.

　때로는 아래 까마득하게 보이는 세상이 너무 겁나서
아예 눈을 감아버리고 싶습니다. 아니, 가느다란 희망의 끈,
생명의 끈도 놓아버리고 아예 나 스스로 떨어져버리고 싶습
니다. 그러면 모든 두려움 다 잊고 아름답게, 편하게 잠들
수 있을 것 같습니다.

하지만 시인은 '아름다운' 죽음은 없다고 말합니다. 그 어떤 방법을 택해도 죽음 자체가 큰 고통이니, 죽을 용기가 있으면 차라리 다시 한 번 시작해보라고 권유합니다.

생명 자체가 살아갈 이유입니다. 개똥밭에 굴러도 이 승이 낫다지요. 그리고 오늘도 용감하게 줄타기를 하면 언젠가는 줄 위에서도 덩더쿵 춤출 수 있는 외줄타기의 달인이 되지 않을까요.

너털웃음 짓지만 뒷모습이 쓸쓸한 당신

## What Makes a Dad

Anonymous

God took the strength of a mountain,
The majesty of a tree,
The warmth of a summer sun,
The calm of a quiet sea,
The generous soul of nature,
The comforting arm of night,
The wisdom of the ages,
The power of the eagle's flight,
The joy of a morning in spring,
The patience of eternity,
Then God combined these qualities,
When there was nothing more to add,
He knew His masterpiece was complete,
And so,
He called it.... Dad

# 아버지의 조건

작자 미상

하느님이 만드신, 산처럼 힘세고
나무처럼 멋있고
여름 햇살처럼 따뜻하고
고요한 바다처럼 침착하고
자연처럼 관대한 영혼을 지니고
밤처럼 다독일 줄 알고
역사의 지혜 깨닫고
비상하는 독수리처럼 강하고
봄날 아침처럼 기쁘고
영원한 인내심을 가진 사람,
하느님은 이 모든 걸 주시고
더 이상 추가할 게 없을 때
당신의 걸작품이 완성되었다는 걸 아셨다.
그래서
하느님은 그를 '아버지'라 불렀다.

하느님의 걸작품, 힘세고 멋지고 지혜롭고 모든 걸 인내하는 사람, 바로 '아버지'입니다. 늘 의식의 언저리에서 나를 지켜주는 사람, 내가 넘어지면 언제든 받쳐줄 든든한 버팀목입니다. 그러나 '아버지'라는 이름 뒤에는 우리가 모르는 낯선 사람이 숨어 있습니다. 이 넓은 세상이 너무 겁나서 어디엔가 기대고 싶고, 간혹 남 몰래 소리 내어 울 곳을 찾는 슬픈 사람이 있습니다.

당당한 아버지, 유능한 남편, 좋은 아들이 되기 위해 자신을 버리고 짐짓 용감한 척 정글의 투사가 되어보지만, 이리 몰리고 저리 부대끼며 남는 것은 빈 껍데기 꿈뿐입니다.

너털웃음 웃고 돌아서도 황혼녘으로 걸어가는 뒷모습이 외롭고 쓸쓸해 보이는 사람, 바로 우리들의 아버지입니다.

내일이면 스러질 인생, 내 영혼의 자유에 경배!

## Riches I Hold in Light Esteem

Emily Brontë

> Riches I hold in light esteem,
> And Love I laugh to scorn;
> And lust of fame was but a dream
> That vanish'd with the morn;
>
> And if I pray, the only prayer
> That moves my lips for me
> Is, "Leave the heart that now I bear,
> And give me liberty!"
>
> Yes, as my swift days near their goal,
> 'Tis all that I implore;
> In life and death a chainless soul,
> With courage to endure.

# 부귀영화를 가볍게 여기네

에밀리 브론테

부귀영화를 난 가볍게 여기네.
사랑도 까짓것, 웃어넘기네.
명예욕도 아침이 오면
사라지는 한때의 꿈일 뿐이었다네.

내가 기도한다면, 내 입술 움직이는
단 한 가지 기도는
"제 마음 지금 그대로 두시고
저에게 자유를 주소서!"

그렇다, 화살 같은 삶이 종말로 치달을 때
내가 바라는 것은 오직 하나.
삶에도 죽음에도 인내할 용기 있는
자유로운 영혼이 되기를.

영국의 소설가 · 시인(1818~1848). 소설가 샬럿 브론테의 여동생이다. 그녀의 유일한 소설이자 걸작으로 손꼽히는 《폭풍의 언덕(Wathering Heights)》(1847)을 출간한 이듬해에 폐결핵으로 짧은 생애를 마감했다.

제 마음은 늘 장터처럼 시끄럽습니다. 왜 이리 평화롭지 못한가, 왜 이리 기쁘지 못한가 가만히 마음속을 들여다보면 이유는 결국 한 가지, 부귀영화를 가볍게 여기지 못하고, 사랑을 웃어넘기지 못하고, 명예는 단지 꿈이라는 걸 깨닫지 못했기 때문입니다. 입으로는 늘 초연한 듯 떠들지만, 내가 내 마음을 꽁꽁 얽매어놓았기 때문입니다.

에밀리 브론테가 1841년, 그러니까 스물한 살 되던 해 쓴 시입니다. 자신의 짧은 생을 예견한 듯, 미련의 끈을 놓는 연습을 하고 있습니다. 어차피 종말로 치닫는 인생, 자유로운 영혼으로 용기 있게 살다 가겠다는 마음을 토로합니다. 아마 그래서 영문학사에 길이 남을 《폭풍의 언덕》 같은 대작을 남길 수 있었는지 모릅니다.

그러나 오늘도 저는 아무거나 그악스럽게 붙잡고 싶은 마음 다스리지 못한 채 미몽에서 헤매고 있습니다.

인생은 엑스트라 배우의 연기와 같이

## Life Is But a Walking Shadow

William Shakespeare

And all our yesterdays have lighted fools
The way to dusty death.
Out, out, brief candle!
Life's but a walking shadow, a poor player
That struts and frets his hour upon the stage
And then is heard no more: it is a tale
Told by an idiot, full of sound and fury,
Signifying nothing.

# 인생은 걸어다니는 그림자일 뿐

윌리엄 셰익스피어

그리고 우리의 과거는 모두 바보들이
죽음으로 가는 길을 비춰줬을 뿐.
꺼져간다, 꺼져간다, 짧은 촛불이여!
인생은 단지 걸어다니는 그림자
무대 위에 나와서 뽐내며 걷고 안달하며
시간을 보내다 사라지는 서툰 배우.
인생은 아무런 의미도 없는
소음과 분노로 가득 찬 백치의 이야기.

영국의 시인·극작가(1564~1616). 영문학의 최대 거장으로 《햄릿》, 《리어왕》을 비롯하여 37편의 희곡과 시 등 불후의 명작
을 남겼다. 활동 초기에 역사극을 시작으로 이후 낭만 희극과 비극, 로맨스극을 선보였다.

셰익스피어의 4대 비극《맥베스》의 5막 5장에 나오는 유명한 구절입니다. 인생은 죽음으로 향하는 행진일 뿐, 허망하기 짝이 없다고 작가는 말합니다. 그나마 바람 앞에 깜박이는 촛불처럼 짧은 생명입니다. 그래서 우리는 모두 걸어다니는 그림자요, 의미 없이 무대 위에 잠깐 등장했다 잊혀지는 슬픈 엑스트라 배우입니다.

하지만 엑스트라 배우에게도 역할은 있습니다. 내가 맡은 작은 역할이 자랑스러워 짐짓 뽐내며 걸어보기도 하고, 짧은 대사나마 조금이라도 잘해보려고 안달합니다. 진정 마음의 귀를 열면 백치의 이야기에도 분명 의미는 있습니다. 단, 인생이라는 무대에 연습은 없습니다. 하루하루가 실제 공연입니다. 단역이라도 오늘 내가 맡은 역할을 멋지게 해내려는 노력 자체에 인생의 참 의미가 있겠지요.

# 그 시절 돌이킬 수 없다 해도

## Splendor in the Grass

William Wordsworth

What though the radiance which was once so bright
Be now for ever taken from my sight,
Though nothing can bring back the hour
Of splendor in the grass, of glory in the flower
We will grieve not, rather find
Strength in what remains behind....
In the soothing thoughts that spring
Out of human suffering....
In years that bring the philosophic mind.

# 초원의 빛

윌리엄 워즈워스

한때는 그렇게도 밝았던 광채가
이제 영원히 사라진다 해도,
초원의 빛이여, 꽃의 영광이여,
그 시절을 다시 돌이킬 수 없다 해도,
우리 슬퍼하기보다, 차라리
뒤에 남은 것에서 힘을 찾으리.
인간의 고통에서 솟아나오는
마음에 위안을 주는 생각과
사색을 가져오는 세월에서.

영국의 시인(1770~1850). 19세기 전반 낭만파의 대표 시인 중 한 사람으로 1843년에 계관시인이 되었다. 콜리지와 함께 펴낸 《서정가요집》이 영국 낭만주의의 시초가 되었고, 기교적인 시어를 배척하는 한편 자연에 대한 심오한 감수성을 바탕으로 많은 시를 남겼다.

오래전 나탈리 우드와 워렌 비티 주연의 〈초원의 빛〉이라는 영화로 유명해진 이 시는 원래 〈어린 시절을 회상하여 영생불멸을 깨닫는 노래〉라는 송시頌詩의 일부분입니다. 누구나 어린 시절에는 풀 한 포기, 꽃 한 송이에서도 장려함과 영광을 보지만, 성장하면서 이런 '찬란한 환상'이 '일상의 빛' 속으로 서서히 소멸해간다고 시인은 안타까워합니다.

그렇지만 그런 아름다운 환상을 잃어버려도 세월이 지남에 따라 우리는 고통 속에서 위로를 찾는 방법을 배우며 살아갈 힘을 얻습니다. 그래서 이 시는 "피어나는 하찮은 꽃 한 송이도 내겐 생각을 주나니 / 눈물이 닿지 못할 심오한 생각을"이라는 희망찬 어조로 끝납니다.

그런데 이제 "눈물이 닿지 못할 심오한 생각"을 할 만한 나이도 되었건만 아직도 감정의 롤러코스터를 타고, '영생불멸'은커녕 하루하루를 버겁게 살아가는 것은 왜일까요.

# 아름답게 늙는다는 것

## Let Me Grow Lovely

Karle Wilson Baker

Let me grow lovely, growing old—
So many fine things do:
Laces, and ivory, and gold,
And silks need not be new;
And there is healing in old trees,
Old streets a glamour hold;
Why may not I, as well as these,
Grow lovely, growing old—

# 아름답게 나이 들게 하소서

칼 윌슨 베이커


아름답게 나이 들게 하소서.
수많은 멋진 것들이 그러하듯이.
레이스와 상아와 황금, 그리고 비단도
꼭 새것만이 좋은 것은 아닙니다.
오래된 나무에 치유력이 있고
오래된 거리에 영화가 깃들듯
이들처럼 저도 나이 들수록
더욱 아름다워질 수 없나요.


미국의 여류시인 · 작가(1878~1960). 시카고 대학을 졸업한 뒤 몇 년간 고등학교에서 영어를 가르쳤다. 시집 《파란 연기
(Blue Smoke)》(1919)가 있다.

'사오정(45세 정년)'을 말하는 때입니다. 젊고 빠르고 강하고 새로운 것만 추구하는 세상에서 나이 들고 느리고 약한 자들은 점점 발붙일 곳이 없어집니다. 경주의 출발선을 떠나는 사람들에게는 많은 박수와 환호를 보내지만 혼신의 힘을 다해 경주를 끝내고 결승선에 다가오는 사람들을 세상은 왜 환영하지 않을까요.

청춘은 아름답습니다. 그 팽팽한 피부와 나긋나긋한 몸이, 그 순수한 희망이, 그 뜨거운 정열이, 그들의 그 아픈 고뇌조차도 가슴 저리게 아름답습니다. 그러나 청춘이 아름다운 것은 이제 곧 사라지기 때문입니다. 봄은 아름답지만 곧 사라지는 것과 같이…. 하지만 여름, 가을, 겨울, 모두 다 아름답고 화려한 계절입니다.

'아름답게' 늙어간다는 것은 무엇일까요? 되돌릴 수 없는 청춘에 집착하지 않고 지금의 내 계절을 받아들임은 아름답습니다. 육신의 아름다움뿐만 아니라 영혼의 아름다움을 볼 줄 아는 눈은 아름답습니다. 이제껏 호두껍질 안에 가두어두었던 내 마음을 내 이웃, 아니 온 세상을 향해 여는 모습은 참 아름답습니다.

# 미움과 고통 보내고 사랑과 행복의 종 울려라

## Ring Out, Wild Bells

Alfred Lord Tennyson

Ring out, wild bells, to the wild sky,
The flying cloud, the frosty light;
The year is dying in the night;
Ring out, wild bells, and let him die.
Ring out the old, ring in the new....
Ring out the false, ring in the true.
Ring out the feud of rich and poor,
Ring in redress to all mankind.
Ring out a slowly dying cause,
And ancient forms of party strife....
Ring out the want, the care, the sin,
The faithless coldness of the times....
Ring in the love of truth and right,
Ring in the common love of good.

# 우렁찬 종소리여 울려 퍼져라

앨프레드 테니슨

울려 퍼져라 우렁찬 종소리, 거친 창공에,
저 흐르는 구름, 차가운 빛에 울려 퍼져라,
이 해는 오늘 밤 사라져 간다.
울려 퍼져라 우렁찬 종소리, 이 해를 보내라
낡은 것 울려 보내고 새로운 것을 울려 맞아라.
거짓을 울려 보내고 진실을 울려 맞아라.
부자와 빈자의 반목을 울려 보내고
만민을 위한 구제책을 울려 맞아라.
울려 보내라, 서서히 죽어가는 명분을
그리고 케케묵은 당파 싸움을.
울려 보내라, 결핍과 근심과 죄악을,
이 시대의 불신과 냉혹함을.
울려 맞아라, 진리와 정의를 사랑하는 마음을
울려 맞아라, 다 함께 선을 사랑하는 마음을.

영국의 시인(1809~1892). W. 워즈워스의 뒤를 이어 계관시인이 되었다. 《사우보思友譜(In Memoriam)》(1850)가 걸작으로
꼽히고, 여왕으로부터 작위를 받아 빅토리아 시대의 국보적 존재가 되었다.

테니슨은 19세기 영국 시인이지만 마치 지금의 우리에게 하는 말 같습니다. 우렁차게 울려 퍼지는 종소리로 모든 거짓, 반목, 불신을 역사 속으로 보내라고 합니다. 우리 마음속에도 종을 울려서, 진리와 정의와 선을 사랑하는 마음을 맞아들이라고 합니다.

사실 12월 31일과 1월 1일은 하나도 다를 게 없는 똑같은 하루지만, 그래도 마치 이제까지의 불운과 실수, 슬픔을 다 떨쳐버릴 수 있는 권리를 부여받은 것 같습니다. 새로운 시작에 가슴 설레고 괜히 희망이 솟구치기도 합니다. 1년 후 또다시 힘들고 버거운 해였다고 한숨 짓는다 해도 좋습니다. 다시 새롭게 시작합니다. 다시 일어서서 새로운 여정의 첫 발자국을 힘차게 내딛습니다.

3··· 아직은 바람이 싸늘한 초봄, 무심히 길을 걷다가 길 가장자리에 피어 있는 작은 풀꽃을 보았습니다. 쌓인 눈을 뚫고 피어난 파란 꽃잎이 얼마나 정교하고 어여쁜지요. 짓밟고 갈아엎어도 눈폭풍 속에 피어나 생명의 소식을 알려주는 봄꽃은 작지만 절대 약하지 않습니다.

# 삶의 무게는...

## What Are Heavy?

Christina Rossetti

What are heavy?
sea-sand and sorrow:
What are brief?
today and tomorrow:
What are frail?
spring blossoms and youth:
What are deep?
the ocean and truth.

# 무엇이 무거울까?

크리스티나 로제티

무엇이 무거울까?
바다 모래와 슬픔이.
무엇이 짧을까?
오늘과 내일이.
무엇이 약할까?
봄꽃과 청춘이.
무엇이 깊을까?
바다와 진리가.

영국의 여류시인(1830~1894). 따뜻한 감성과 자기 억제적인 사랑의 정신을 언어로 표현한 탁월한 애정시들을 남겼다. 결혼하지 않고 어머니와 함께 평생 독신으로 살았다.

"무엇이 무거울까"에 대한 답으로 시인은 "바다 모래와 슬픔"이라고 답을 합니다. 처음에는 구체적 사물을 말하고, 다음에 추상적 상징을 연결하여 이야기하고 있지요. 글쎄요, 저라면 무거운 것은 '바위, 그리고 우리가 짊어지고 가는 삶의 무게' 라고 했을 것 같습니다.

아직은 바람이 싸늘한 초봄, 무심히 길을 걷다가 길 가장자리에 피어 있는 작은 풀꽃을 보았습니다. 쌓인 눈을 뚫고 피어난 파란 꽃잎이 얼마나 정교하고 어여쁜지요. 짓밟고 갈아엎어도 눈폭풍 속에 피어나 생명의 소식을 알려주는 봄꽃은 작지만 절대 약하지 않습니다. 그래서 생각해봅니다. 짧은가 하면 긴 것이 세월이고, 약한가 하면 강한 것이 청춘이고, 무거운가 하면 짊어지고 가면서 그런대로 기쁨과 보람도 느끼는 것, 그것이 삶의 무게라고 말입니다.

# 삶의 모닥불 앞에 두 손을 쬐고

## Dying Speech of an Old Philosopher

Walter Savage Landor

I strove with none;

for none was worth my strife;

Nature I loved, and next to Nature, Art;

I warmed both hands before the fire of life;

It sinks, and I am ready to depart.

# 죽음을 앞둔 어느 노철학자의 말

월터 새비지 랜더

나는 그 누구와도 싸우지 않았노라.
싸울 만한 가치가 있는 상대가 없었기에.
자연을 사랑했고, 자연 다음으로는 예술을 사랑했다.
나는 삶의 모닥불 앞에서 두 손을 쬐었다.
이제 그 불길 가라앉으니 나 떠날 준비가 되었노라.

영국의 시인 · 작가(1775~1864). 급진적인 사상과 과격한 행동 때문에 옥스퍼드 대학에서 정학을 당했다. 고전문학에 조예가 깊었고, 낭만적인 장시와 역사극 등 대작을 남겼으나 오늘날에는 산문가로서 명성이 높다.

〈그의 일흔다섯 살 생일에 부쳐(On His Seventy-fifth Birthday)〉라는 제목으로도 알려진 시입니다. 이렇게 인생의 종착역에 닿아 지나온 삶을 회고하며 "나는 그 누구와도(그 어느 것과도) 싸우지 않았다"고 말할 수 있는 사람이 몇이나 될까요. 사람도 삶도 자연도 싸움의 대상이 아니건만, 우리는 무조건 대결해서 이기려는 투쟁의 태세로 살아가고 있는지도 모릅니다.

이 세상은 잠시 앉아 두 손에 불을 쬐며 쉬어 가는 곳, 그래서 불길이 사그라지면 미련 없이 일어나서 떠나야 하는 곳입니다. 가치 없는 싸움으로 낭비하기엔 이곳에 머무르는 시간이 너무나 짧습니다.

다시금 투쟁의 아침을 맞이하며, 자연을 사랑하고 인간과 인간이 만든 예술을 사랑하고 후회 없이 떠나는 시인의 여유와 평화가 부러운 오늘입니다.

# 다시 움트고 살아나야 하는 4월

## The Waste Land

T. S. Eliot

April is the cruelest month, breeding
Lilacs out of the dead land, mixing
Memory and desire, stirring
Dull roots with spring rain.
Winter kept us warm, covering
Earth in forgetful snow, feeding
A little life with dried tubers....

# 황무지

T. S. 엘리엇

4월은 잔인한 달
죽은 땅에서 라일락을 키워내고
기억과 욕망을 뒤섞고
봄비로 잠든 뿌리를 뒤흔든다.
차라리 겨울에 우리는 따뜻했다.
망각의 눈이 대지를 덮고
마른 구근으로 가냘픈 생명만 유지했으니.

영국의 시인·평론가·극작가(1888~1965). 미국 태생으로 영국에 귀화한 뒤 문단의 중진으로 활동했고, 1948년 노벨 문학상을 받았다. 영국의 형이상학 시와 프랑스 상징시의 영향을 받았으며 현대 문명의 퇴폐상을 그린 작품을 다수 남겼다.

"4월은 잔인한 달." 해마다 4월이 되면 으레 한두 번쯤 방송에서 듣는 말입니다. 433행에 달하는 유명한 장시 〈황무지〉의 시작 부분이지요. 그러나 이 부분은 자주 인용되는 것처럼 개인적으로 흡족하지 않은 4월의 경험을 토로하는 차원이 아닙니다. 좀더 넓은 의미에서, 계절의 순환 속에서 다시 봄이 되어 버거운 삶의 세계로 돌아와야 하는 모든 생명체의 고뇌를 묘사하고 있습니다. "망각의 눈"에 덮인 겨울은 차라리 평화로웠지만 다시 움트고 살아나야 하는 4월은 그래서 잔인합니다.

대학 시절 이 시를 처음 읽을 때 세상은 정말 황무지 같았습니다. 개강을 하면 탱크가 캠퍼스로 들어오고 최루탄 연기 자욱한 그런 삭막한 봄을 맞았습니다. 그래도 그때는 '함께'의 삶과 낭만이 있었고, 마음은 씨앗 하나만 심어도 금세 싹트는 푸른 벌판이었던 것 같습니다. 하지만 지금 창밖의 봄은 푸른 벌판인데, 마음은 허허롭기 짝이 없고 생명이 자랄 수 없는 '황무지'가 된 것 같습니다.

썰물은 반드시 밀물이 되리니…

## Loss and Gain

Henry Wadsworth Longfellow

When I compare
What I have lost with what I have gained,
What I have missed with what attained,
Little room do I find for pride.

I am aware
How many days have been idly spent;
How like an arrow the good intent
Has fallen short or been turned aside.

But who shall dare
To measure loss and gain in this wise?
Defeat may be victory in disguise;
The lowest ebb is the turn of the tide.

# 잃은 것과 얻은 것

헨리 왜즈워스 롱펠로

내 이제껏
잃은 것과 얻은 것
놓친 것과 획득한 것
저울질해보니 자랑할 게 없구나.

나는 알고 있다.
긴긴 세월 헛되이 보내고
좋은 의도는 화살처럼
과녁에 못 닿거나 빗나가버린 걸.

그러나 누가 감히
이런 식으로 손익을 가늠하랴.
패배는 승리의 다른 얼굴일지도 모른다.
썰물이 나가면 분명 밀물이 오듯이.

미국의 시인(1807~1882). 18년간 하버드 대학 교수로 있었으며 당시 큰 대중적 인기를 누렸다. 특히 유럽 각국의 민요를
번안·번역하여 미국에 소개한 공적이 크다. 단테의 《신곡》 번역에 붙인 소네트 《신곡》이 최대 걸작으로 평가된다.

살아가는 걸 장사로 친다면, 나는 이제껏 얼마나 이윤을 얻고 얼마나 밑졌을까요? 나름대로 늘 이윤을 만들어보려고 아등바등 노력했는데 돌이켜보면 허송세월만 한 것 같고 빈손만 남았습니다. 시인의 말처럼 좋은 의도는 다 무산되고 자랑할 게 하나도 없는 것 같습니다. 하지만 시인은 인생사 새옹지마, 그 어떤 물리적 방법으로도 손익을 가늠하고 단정 지을 수는 없다고 말합니다. 밑졌다고 슬퍼하면 이득이 오기도 하고, 이윤을 봤다고 기뻐하면 곧 화가 닥치기도 합니다.

그러니 '평탄한' 삶이란 없는 건지도 모릅니다. 때로 밑지는 장사도 하고 때로 공짜로 얻기도 하고 그냥 그렇게 살다보면, 썰물이 필연적으로 밀물이 되듯이, 좋은 날이 꼭 올 거라고 시인은 자신 있게 말합니다.

그런데도 아무리 생각해도 내 삶은 자꾸 밑지기만 하는 느낌이 드는 건 왜일까요? 그래도 밑져야 본전, 시인의 말을 다시 한 번 믿어봅니다.

# "단순하고 선하게 살라" 자연이 들려주는 진리

## I Listen

Chuck Roper

I Listen to the trees, and they say:
"Stand tall and yield.
Be tolerant and flexible."....
I Listen to the sky, and it says:
"Open up. Let go of the boundaries
and barriers. Fly."
I Listen to the sun, and it says:
"Nurture others.
Let your warmth radiate for others to feel."....
I Listen to the creek, and it says:
"Relax; go with the flow....
Keep moving—don't be hesitant or afraid....
I Listen to the small plants, and they say:
"Be humble. Be simple.
Respect the beauty of small things."....

# 자연이 들려주는 말

척 로퍼

나무가 하는 말을 들었습니다.

우뚝 서서 세상에 몸을 내맡겨라.

관용하고 굽힐 줄 알아라.

하늘이 하는 말을 들었습니다.

마음을 열어라. 경계와 담장을 허물어라.

그리고 날아올라라.

태양이 하는 말을 들었습니다.

다른 이들을 돌보아라.

너의 따뜻함을 다른 사람이 느끼도록 하라.

냇물이 하는 말을 들었습니다.

느긋하게 흐름을 따르라.

쉬지 말고 움직여라. 머뭇거리거나 두려워 말라.

작은 풀들이 하는 말을 들었습니다.

겸손하라. 단순하라.

작은 것들의 아름다움을 존중하라.

미국의 작가 · 출판인(1948~ ). 알코올 중독 치료에 관한 전문서적을 주로 펴내고 있다. 위 시는 1992년 자연요법을 연구하며 숲속 캠프에서 생활할 때 집필한 것이다.

세상 어딜 가나 우리가 사는 모습은 늘 비슷한 것 같습니다. 마치 어떻게 하면 조금이라도 더 복잡하게 살까 연구하며 사는 것 같습니다.

손으로도 충분히 할 수 있는 일인데 기계를 만들어놓고, 지금 있는 인간만으로도 충분한데 복제인간을 꿈꾸고, 10층 건물로도 충분한데 100층 건물을 지어놓고, 하나만 있어도 되는데 둘을 원하고, 셋으로도 족한데 넷을 얻기 위해 무진 애를 씁니다. 그리고 그 복잡함 속에 자신을 가두고는 답답해 하고, 아직도 무언가 부족해 허탈해 합니다.

그럴 때, 시인은 자연이 들려주는 진리에 귀를 기울여보라고 합니다. 자연이야말로 천천히, 단순하게, 선하게, 그리고 가장 행복하게 사는 법을 가르쳐주는 우리의 위대한 스승임을 상기시켜 줍니다.

가장 통쾌한 복수는 용서

## To Know All Is To Forgive All

Nixon Waterman

If I knew you and you knew me—
If both of us could clearly see,
And with an inner sight divine
The meaning of your heart and mine—
I'm sure that we could differ less
And clasp our hands in friendliness....
Life has so many hidden woes,
So many thorns for every rose;
The "why" of things our hearts would see,
If I knew you and you knew me.

# 모든 걸 알면 모든 걸 용서할 수 있을 것을

닉슨 워터맨

내가 그대를 알고, 그대가 나를 알면,
우리 둘 다 신성한 마음의 눈으로
서로의 가슴에 품은 생각의 의미를
분명히 볼 수만 있다면,
진정 그대와 나의 차이는 줄어들고
정답게 서로의 손을 맞잡을 수 있을 것을.
장미가 송이마다 가시를 품고 있듯이
인생에도 하많은 걱정이 숨어 있는 법.
내가 그대를 알고 그대가 나를 알면
모든 것의 참 이유를 마음으로 볼 수 있을 텐데.

미국의 집필가(1951~ ). 정통파 시인은 아니고 주로 인터넷에서 활동하며 엄격한 운율과 각운을 사용한다. 위의 시에서도 매행 8음절과 2행 단위로 각운을 철저히 지키고 있다.

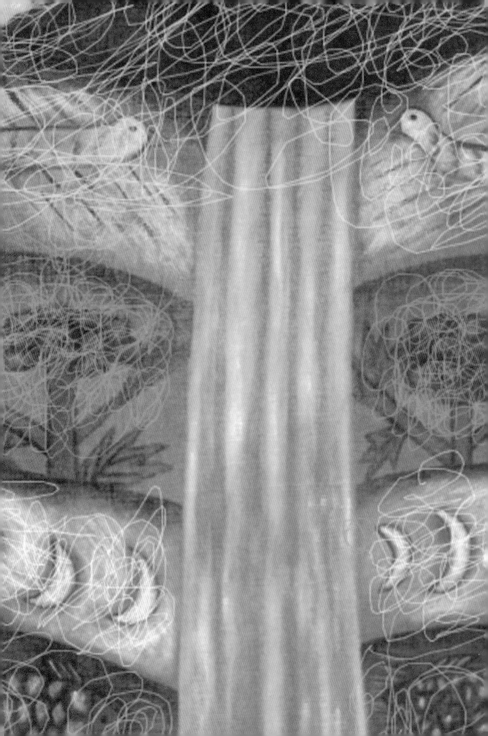

누군가 재미있는 수식을 말해주었습니다. 5-3=2, 오해에서 세 발자국 떨어져 보면 이해가 되고, 2+2=4, 이해에 이해를 더하면 사랑이 된다고 했습니다.

그러나 누군가를 알고 이해한다는 것이 그렇게 쉽지만은 않습니다. 내 가슴에 그렇게 큰 상처를 주고 아무렇지도 않게 행동하는 그 사람을 절대 이해할 수 없습니다. 아니, 너무 억울해서 자다가도 벌떡 일어나게 됩니다. 침 한번 탁 뱉고 돌아서서 잊자, 까짓것 잊어버리자 되뇌어보지만, 마음속 상처는 더욱 더 피를 줄줄 흘립니다.

하지만 용서하지 못하는 마음처럼 비참하고 슬픈 마음은 없습니다. 내가 먼저 마음의 눈으로 그를 이해하고 용서하는 편이 차라리 낫습니다.

가장 통쾌한 복수는 용서니까요.

# 아들아, 여기서 넘어지지 말아라

## Mother to Son

Langston Hughes

Well, son, I'll tell you:
Life for me ain't been no crystal stair.
It's had tacks in it,
And splinters,
And boards torn up,
And places with no carpet on the floor.
Bare.
But all the time
I'se been a-climbin' on,
And reachin' landin's,
And turnin' corners,
And sometimes goin' in the dark
Where there ain't been no light.

So, boy, don't you turn back.
Don't you set down on the steps.
'Cause you finds it's kinder hard.
Don't you fall now—
For I'se still goin', honey,
I'se still climbin',
And life for me ain't been no crystal stair.

# 어머니가 아들에게

랭스턴 휴스

아들아, 내 말 좀 들어보렴.
내 인생은 수정으로 만든 계단이 아니었다.
거기엔 압정도 널려 있고
나무 가시들과
부러진 널빤지 조각들,
카펫이 깔리지 않은 곳도 많은
맨바닥이었단다.
그렇지만 쉬지 않고
열심히 올라왔다.
층계참에 다다르면
모퉁이 돌아가며

때로는 불도 없이 깜깜한
어둠 속을 갔다.
그러니 애야, 절대 돌아서지 말아라.
사는 게 좀 어렵다고
층계에 주저앉지 말아라.
여기서 넘어지지 말아라.
애야, 난 지금도 가고 있단다.
아직도 올라가고 있단다.
내 인생은 수정으로 만든 계단이 아니었는데도.

미국의 시인·소설가(1902~1967). 컬럼비아 대학을 중퇴한 뒤 잡지사의 현상 공모에서 시 부문 1등으로 입선했다. 블루스와 민요를 능숙하게 구사하는 시풍으로 1920년대 흑인 문예부흥을 선도했고 현재까지 미국의 대표적 흑인 시인으로 평가된다.

어머니가 자신이 걸어온 인생길을 끝없이 이어지는 층계에 비유해서 말하고 있습니다. 흑인 특유의 사투리를 쓰는 이 어머니의 삶은 그 누구보다 힘겨웠던 것처럼 보입니다. 그래도 가시밭 헤치고 어둠 속을 더듬으며 층계를 올라가는 어머니의 모습이 너무나 의연하고 아름답습니다.

우리도 매일 계단을 올라갑니다. 우리의 계단도 찬란한 수정으로 만들어지지 않은 건 마찬가지입니다. 올라가면서 걸핏하면 다시 돌아가고 싶고, 모퉁이 돌기 전 층계참에 앉아 마냥 쉬고 싶습니다.

하지만 오늘도 쉬지 않고 삶의 계단을 앞장서 올라가는 어머니의 모습을 떠올리면 그럴 수가 없습니다. 어디선가 들리는 "애야, 사는 게 좀 어렵다고 주저앉지 말아라"는 어머니의 말씀이 가슴을 울리기 때문입니다.

당신의 사랑으로 날 일으켜주세요

## The Flight

Sara Teasdale

Look back with longing eyes and know that I will follow,
Lift me up in your love as a light wind lifts a swallow,
Let our flight be far in sun or blowing rain—
*But what if I heard my first love calling me again?*

Hold me on your heart as the brave sea holds the foam,
Take me far away to the hills that hide your home;
Peace shall thatch the roof and love shall latch the door—
*But what if I heard my first love calling me once more?*

# 도망

새러 티즈데일

그리운 눈빛으로 돌아보세요, 내가 뒤에 있잖아요.
미풍이 제비를 날게 하듯이 당신의 사랑으로 날 일으켜
햇살이 내리쬐든 비바람이 불든 우리 멀리 도망가요.
'하지만 내 첫사랑이 날 다시 부르면 어떡하지요?'

용감한 바다가 흰 파도를 떠받치듯 날 꼭 껴안고
산 속에 숨은 당신의 집까지 멀리 데려가세요.
평화로 지붕을 얹고 사랑으로 문에 빗장을 걸어요.
'하지만 내 첫사랑이 날 또다시 부르면 어떡하지요?'

미국의 여류시인(1884~1933). 개인적인 주제의 짧은 서정시가 고전적 단순성과 차분한 강렬함으로 주목을 받았다. 《사랑의 노래(Love Songs)》(1917)로 퓰리처상을 받았다.

드라마 〈겨울연가〉에 인용되면서 우리 귀에 익숙해진 시입니다. 사랑은 함께 따라와줄 것을 알아주는 믿음이요, 주저앉은 마음을 일으켜주는 격려입니다. 멀리 도망가서 두 사람만의 집을 짓고 평화와 사랑으로 영원히 살고 싶은 소망입니다.

　그렇지만 사랑하는 마음속에는 늘 도망가고픈 마음도 복병처럼 숨어 있습니다. 필생에 단 한 번 목숨 걸 수 있는 그런 사랑을 하고 싶은데 이 사랑이 진짜 사랑일까, 좀더 아름다운 사랑이 어디선가 날 기다리고 있지 않을까, 지나간 첫사랑이 날 다시 부르면 어떡할까?

　참 알다가도 모를 게 사랑입니다.

# '소녀'에서 '여인'으로

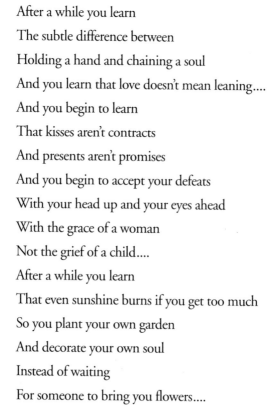

## After a While

Veronica A. Shoffstall

After a while you learn
The subtle difference between
Holding a hand and chaining a soul
And you learn that love doesn't mean leaning....
And you begin to learn
That kisses aren't contracts
And presents aren't promises
And you begin to accept your defeats
With your head up and your eyes ahead
With the grace of a woman
Not the grief of a child....
After a while you learn
That even sunshine burns if you get too much
So you plant your own garden
And decorate your own soul
Instead of waiting
For someone to bring you flowers....
And you learn and you learn
With every goodbye you learn.

# 얼마 후면

베로니카 A. 쇼프스톨

얼마 후면 너는
손을 잡는 것과 영혼을 묶는 것의
미묘한 차이를 알게 될 것이다.
사랑은 누군가에게 기대는 게 아니고
입맞춤은 계약이 아니고
선물은 약속이 아니라는 것을 배우고
머리를 쳐들고 앞을 똑바로 보며
소녀의 슬픔이 아니라
여인의 기품으로
너의 패배를 받아들일 것이다.
얼마 후면 너는 햇볕도 너무 쬐면
화상을 입는다는 걸 배우게 된다.
그래서 누군가 꽃을 갖다 주길
기다리기보다는
너만의 정원을 만들어
네 영혼을 스스로 장식하게 된다.
그리고 한 번 이별할 때마다 너는
배우고 또 배우게 되리라.

미국의 여류시인(1946~ ). 인터넷상으로 발표한 시집 《거울 외》(Mirror and Other Insults)가 인기를 끌었으며 위 시는 이
시집에서 가장 잘 알려진 시이다.

'얼마 후면' 여인이 되는 소녀에게 주는 시입니다. 엄마가 딸에게 주는 글일 수도 있겠지요.

소녀 시절 세상은 기쁨으로 가득 차 있습니다. 입맞춤은 계약이고 선물은 약속이며, 햇볕 가득 내리쬐는 이 세상 모든 게 행복을 기약하는 일입니다. 그러나 배반과 어둠, 이별을 배워가면서 소녀는 여인이 되어갑니다.

언제나 행복한 소녀로 남지 않고 아픔을 아는 여인이 되어야 하는 것은 슬픈 일입니다. 그러나 남이 갖다 주는 꽃을 기다리기보다는 내 정원을 가꾸고, 사랑은 누군가에게 기대는 게 아니라 당당히 내 두 발로 서는 것임을 아는 여인은 아름답습니다.

병든 시대 감싸는 온기 있는 시란

## The Embankment

T. E. Hulme

(The fantasia of a fallen gentleman on a cold, bitter night)

Once, in finesse of fiddles found I ecstasy,
In a flash of gold heels on the hard pavement
Now see I
That warmth's the very stuff of poesy.
Oh, God, make small
The old star-eaten blanket of the sky.
That I may fold it round me and in comfort lie.

# 템스 강 둑길

T. E. 흄

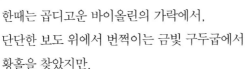

(춥고 매서운 밤에 쓰러진 한 신사의 공상)

한때는 곱디고운 바이올린의 가락에서,
단단한 보도 위에서 번쩍이는 금빛 구두굽에서
황홀을 찾았지만,
이제 나는
온기가 바로 시의 소재임을 안다.
아, 신이여, 별이 좀먹은
낡은 담요짝 하늘을 작게 접어주오.
내 몸을 감싸고 편안히 누울 수 있도록.

영국의 시인 · 비평가 · 철학자(1883~1917). 런던에서 새 시대의 예술가와 사상가들을 모아 '시인 클럽'을 결성하고 이미지
즘 시운동을 주도했다. 원죄에 뿌리를 둔 종교적 세계관과 고전적 예술관으로 여러 시인과 작가들에게 깊은 영향을 미쳤다.

추운 밤, 지치고 허기진 남자가 강둑에 쓰러져 있습니다. 화려한 도시에 가려져 있지만, 분명 우리 가까이 어딘가에 존재하는 삶의 모습입니다.

인간의 슬픔과 고독에 무관심한 자연…. 별이 총총한 하늘을 구멍이 숭숭 난 좀먹은 담요에 비유하는 시인의 눈이 놀랍습니다. 대개 우리는 시의 소재로 별, 장미꽃, 바이올린 선율, 여인의 금빛 구두 등 아름답고 낭만적인 것들만 생각합니다.

하지만 그렇게 피상적 아름다움만을 추구하는 시들은 온기가 부족합니다. 시인은 삶의 아픔을 겪고 나서 가난과 눈물, 절망이 있는 곳에도 삶은 숨쉬고 있다는 것을 깨달았습니다.

버림받은 사람, 병든 시대까지 담요처럼 감쌀 수 있는 시야말로 온기가 감도는 진짜 시라고 말하고 있습니다.

두뇌는 텅 빈 초원… 제때 씨 뿌려야

## Knowledge

Eleanor Farjeon

Your mind is a meadow
To plant for your needs;
You are the farmer,
With knowledge for seeds.

Don't leave your meadow
Unplanted and bare,
Sow it with knowledge
And tend it with care.

Don't be a know-nothing!
Plant in the spring,
And see what a harvest
The summer will bring.

# 지식

엘리노어 파전

네 마음은 초원이란다.
이런저런 씨 뿌리는 초원.
너는 농부란다.
지식의 씨앗 뿌리는 농부.

네 초원을 버려두지 말거라.
파종도 하지 않고 비워둔 채로.
지식의 씨앗 뿌리고
정성 들여 가꾸어라.

무지한 자 되지 말거라!
봄이 되어 씨 뿌리면
여름 되어
풍요로운 수확 거두리니.

영국의 여류시인·아동문학가(1881~1965). 정규 교육을 받지 않고 예술적인 집안 분위기 속에서 성장했다. 상상력이 풍부한 우화적 작품들을 많이 남겼으며, 《보리와 임금님》(1955)으로 카네기상과 국제 안데르센상을 받았다.

인생의 봄을 구가하는 젊은이들에게 들려주고 싶은 시입니다. 두뇌는 꼭 텅 빈 초원 같아서 제때 씨를 뿌리고 가꾸지 않으면 아무것도 거둘 수 없다고 말입니다.

무엇이든 실제로 경험해야 배우고 깨닫는 게 인간의 속성인가 봅니다. 대학 시절 읽은 소설은 아직도 또렷하게 기억나지만 지난주에 읽은 책은 주인공 이름도 생각나지 않을 때가 있습니다. 이미 머리가 노쇠기에 접어들고 나서야 지식의 씨앗은 젊고 유능한 두뇌에서만 더욱 싱싱하게 자랄 수 있다는 것을 깨닫습니다.

씨를 뿌려야 거둘 수 있다는 것은 아주 간단한 진리이지만 잊기 일쑤입니다. 남이 수확할 때 아무리 후회하고 부러워해도 이미 늦을 텐데 말이지요.

우직한 생명의 힘

## The Example

W. H. Davis

Here's an example from
A Butterfly;
That on a rough, hard rock
Happy can lie;
Friendless and all alone
On this unsweetened stone.

Now let my bed be hard
No take care I;
I'll make my joy like this
Small Butterfly;
Whose happy heart has power
To make a stone a flower.

# 본보기

W. H. 데이비스

여기 나비 한 마리가 보여주는
본보기가 있다.
거칠고 단단한 바위 위에도
행복하게 앉아 있는 나비.
이 거친 돌 위에
친구 하나 없이 혼자인 나비.

내 침상이 지금 딱딱하더라도
나 또한 개의치 않으리.
나도 이 작은 나비처럼
내 기쁨을 만들어가리.
나비의 행복한 마음은 바위를
꽃으로 만드는 힘이 있으니.

영국의 시인(1871~1940). 불우한 성장기를 보낸 뒤 금맥이 터졌다는 소문을 듣고 미국으로 가지만 기차사고를 당해 무릎
위까지 절단했다. 외다리로는 걸인생활을 하기 힘들어지자 시인이 되었고, 이후 '걸인시인'으로 명성을 얻었다.

오래된 책을 읽다가 깜짝 놀랐습니다. 아주 작은 점 하나가 움직이고 있었습니다. 눈이 나빠져 문장의 마침표가 움직이는 것처럼 보이나 싶어 자세히 살펴보았지만, 그것은 분명 작은 생명체였습니다. 점 하나의 생명을 타고난 작은 좀벌레 하나가 종이 위를 열심히 기어가고 있었습니다.

우리는 흔히 말합니다. "에잇, 짐승만도 못한 인간"이라고. 하지만 따져보면 그것처럼 틀린 말이 또 어디 있을까요. 자연의 뜻에 순명하며 배고플 때 외에는 남의 것을 탐하지 않고, 필요한 만큼만 가지면 만족하고, 자기 보호 외에는 남을 해치지 않는 짐승들이 왜 인간보다 못한가요.

우주의 모든 생명체 가운데 인간으로 태어나는 일은 억만분의 1의 확률이라고 합니다. 그렇게 귀중한 생명도 하찮게 여기고, 걸핏하면 제 욕심 채우기 위해 남을 해치고 끝없는 욕망에 잠을 설치는 게 인간입니다. 점 같은 생명이나마 소중히 이어가는 벌레, 딱딱한 바위 위에서도 행복하게 앉아 있는 나비, 우직한 생명의 힘으로 착하고 평화롭게 살아가는 짐승들이 모두 우리의 본보기가 아닐까요.

# "아들아, 인간다운 인간이 되거라"

## If....

J. Rudyard Kipling

If you can trust yourself when all men doubt you....

If you can wait and not be tired by waiting,

Or being lied about, don't deal in lies,

Or being hated, don't give way to hating....

If you can dream—and not make dreams your master....

Or watch the things you gave your life to, broken,

And stoop and build'em up with worn-out tools;

If you can make one heap of all your winnings,

And risk it all on one turn of pitch-and-toss;

And lose, and start again at your beginnings....

If you can talk with a crowd and keep your virtue,

Or walk with kings—nor lose the common touch....

If you can fill the unforgiving minute,

With sixty seconds' worth of distance run,

Yours is the Earth and everything that's in it,

And—which is more—you'll be a Man, my son!

# 만약에…

J. 러디어드 키플링

모든 이들이 너를 의심할 때 네 자신을 믿을 수 있다면,
기다릴 수 있고 기다림에 지치지 않을 수 있다면,
거짓을 당해도 거짓과 거래하지 않고
미움을 당해도 미움에 굴복하지 않는다면,
꿈을 꾸되 꿈의 노예가 되지 않을 수 있다면,
네 일생을 바쳐 이룩한 것이 무너져내리는 걸 보고
허리 굽혀 낡은 연장을 들어 다시 세울 수 있다면,
네가 이제껏 성취한 모든 걸 한데 모아서
단 한 번의 승부에 걸 수 있다면,
그래서 패배하더라도 처음부터 다시 시작할 수 있다면,
군중과 함께 말하면서도 너의 미덕을 지키고
왕과 함께 걸으면서도 민중의 마음을 놓치지 않는다면,
누군가를 도저히 용서할 수 없는 1분의 시간을
60초만큼의 장거리 달리기로 채울 수 있다면,
이 세상, 그리고 이 세상의 모든 게 다 네 것이다.
그리고 무엇보다 아들아, 너는 드디어 한 남자가 되는 것이다!

영국의 시인·소설가(1865~1936). 인도 뭄바이에서 태어나 영국에 유학했다. 인도, 정글, 바다 등에서 소재를 취해 《정글북 (The Jungle Book)》(1894) 등의 소설을 썼고 1907년에 노벨 문학상을 받았다.

이 세상을 조금 더 오래 산 연륜과 경험으로 아들이 남자다운 남자, 아니 진정 인간다운 인간이 될 수 있는 조건을 가르칩니다. 자기에 대한 믿음, 좌절해도 다시 시작할 수 있는 용기, 겸손과 인내, 다수의 '민중'과 함께하는 것, 그리고 용서할 수 있는 마음을 말하고 있습니다.

하지만 연륜이 있다고 해서 삶이 던지는 모든 질문에 답을 갖고 있는 것은 절대 아닙니다. 틀린 줄 알면서도 어쩔 수 없이 틀리게 행동하고, 옳은 줄 알면서도 옳다고 말 못 한 적이 수없이 많습니다. 못난 줄 알면서도 생활을 위해 어쩔 수 없이 그냥 살아갑니다.

그래도 내 아들만큼은 나보다 더 잘 살아주기를 원하는 마음, 제대로 인간답게 살아주었으면 하는 마음, 그것이 바로 아버지의 마음이고 이 세상을 지키는 힘이 아닐까요.

'겨울 마음' 속에 숨겨놓은 보석은

## The Snow Man

Wallace Stevens

One must have a mind of winter
To regard the frost and the boughs
Of the pine-trees crusted with snow;
And have been cold a long time
To behold the junipers shagged with ice,
The spruces rough in the distant glitter
Of the January sun; and not to think
Of any misery in the sound of the wind,
In the sound of a few leaves,
Which is the sound of the land
Full of the same wind
That is blowing in the same bare place....

# 눈사람

월러스 스티븐스

사람은 겨울 마음 가져야 하네.
서리와 얼음옷 입은 소나무 가지를
생각하기 위해서는.
그리고 오랫동안 추위에 떨면서
얼음 덮여 가지 늘어진 로뎀나무와
1월의 햇빛 속에 아득히 반짝이는
가문비나무 보기 위해서는.
바람 속, 부대끼는 이파리 소리 속
비참함을 잊기 위해서는.
그것은 육지의 소리
늘 같은 황량한 장소에서
늘 같은 바람만 가득 부는.

미국의 시인(1879~1955). 20세기 전반 미국의 대표적인 시인으로서 법률을 전공한 뒤 변호사로 활동했다. 감성과 상상력을 중시했으며 시야말로 "최고의 허구"이고 "삶의 청량제"라고 역설했다. 1955년에 퓰리처상을 받았다.

횡 하니 부는 겨울바람 속에 불현듯 마음이 스산해집니다. 하지만 몸보다 마음이 더 추운 것 같습니다. 이렇게 바람 부는 추운 세상을 견뎌내기 위해서 시인은 우리 모두가 '겨울 마음'을 가진 눈사람이 되어야 한다고 말합니다. 존재의 비참함을 잊기 위해서는 따뜻한 심장도 없이, 열정 어린 가슴도 없이, 무심히 황량한 벌판 한구석을 지키는 눈사람이 되어야 한다고 말입니다.

시인은 사랑과 위로가 없는 겨울같이 차가운 세상에서 살아남는 법을 가르쳐줍니다. 하지만 우리가 비참한 것은 눈사람이 될 수 없기 때문입니다. 가슴속 깊이 보석처럼 숨겨놓은 따뜻한 심장을 절대로 포기할 수 없기 때문입니다.

사랑이 없는 세상에서는 살아남느니 차라리 죽는 게 낫기 때문입니다.

# 나라의 기둥 '국민의 힘'

## Great Men

Ralph Waldo Emerson

Not gold, but only man can make
A people great and strong.
Men who, for truth and honor's sake,
Stand fast and suffer long.

Brave men who work while others sleep,
Who dare while others fly—
They build a nation's pillars deep
And lift them to the sky.

# 위대한 사람들

랠프 월도 에머슨

금이 아니라 사람만이 한 민족을
위대하고 강하게 만들 수 있다.
진리와 명예를 위해서 굳건히
맞서 오랜 고통을 참는 사람들만이.

다른 이들이 잘 때 일하는 용감한 사람들,
다른 이들이 도망갈 때 당당히 맞서는 사람들,
그들이야말로 한 나라의 기둥을 깊이 묻고
하늘을 찌를 듯 높이 세우는 사람들이다.

미국의 시인 · 사상가(1803~1882). 집안의 대를 이어 목사가 되었으나 사임하고 이후 유럽으로 건너가 여러 시인들과 친분을 맺고 독일 관념론의 영향을 받았다. 정신과 직관을 중시하며 19세기 미국 사상의 근간인 초월주의 운동을 이끌었다.

하늘에 닿을 듯 높이 솟은 마천루도 처음에는 벽돌 한 장에서 시작됩니다. 마찬가지로, 한 민족도 한 사람 한 사람이 뭉쳐 이루어집니다. 시인은 한 나라가 강하고 위대하게 되는 데 필요한 것은 그 나라가 소유한 재산이나 자원이 아니라 바로 국민의 힘이라고 말합니다.

진리와 명예를 소중하게 생각하고 고통을 참는 용감한 사람들만이 한 나라의 기둥을 강건하게 만들 수 있다고 말입니다. 어마어마한 건물도 주춧돌의 벽돌 한 장을 빼면 무너질 수 있듯이, 국민의 힘을 무시하면 잘나가던 나라도 망할 수 있습니다.

그래서 시인은 하루하루 성실하게 열심히 일하는 국민이야말로 진정 '위대한 사람들'이라고 말합니다.

# '짧은 한잠' 지나면… 우리는 영원히 깨어난다

## Death, Be Not Proud

John Donne

Death, be not proud, though some have called thee
Mighty and dreadful, for thou art not so;
For those whom thou think'st thou dost overthrow
Die not, poor Death, nor yet canst thou kill me....
Thou art slave to fate, chance, kings and desperate men,
And dost with poison, war and sickness dwell,
And poppy or charms can make us sleep as well
And better than thy stroke; why swell'st thou then?
One short sleep past, we wake eternally,
And death shall be no more; Death, thou shalt die.

# 죽음이여 뽐내지 마라

존 던

죽음이여 뽐내지 마라, 어떤 이들은 너를 일컬어
힘세고 무섭다지만, 넌 사실 그렇지 않다.
불쌍한 죽음아, 네가 해치워버린다고 생각하는
사람들은 죽는 게 아니며, 넌 나 또한 죽일 수 없다.
너는 운명, 우연, 제왕들, 그리고 절망한 자들의 노예.
그리고 독약과 전쟁과 질병과 함께 산다.
너 말고 아편이나 주문도 우리를 잠들게 할 수 있다.
너의 일격보다 더 편하게. 한데 왜 잘난 척하느냐?
짧은 한잠 지나면 우리는 영원히 깨어나리니,
더 이상 죽음은 없다. 죽음이여, 네가 죽으리라.

영국의 시인·성직자(1572~1631). 독실한 가톨릭 집안에서 성장해 훗날 바오로 대성당의 사제장을 지냈다. 17세기 영국 형이상학파의 대표시인으로 현대시에 깊은 영향을 끼쳤다. 젊은 시절 사랑의 심리를 대담하게 묘사한 연애시를 썼고 만년에는 종교시를 남겼다.

어떤 독자분이 제게 이메일을 보내셨습니다. 자궁암 말기로 고통스러워하는 딸을 격려해달라고. 저는 따님께 따로 긴 편지를 쓰겠다고, 아니 힘이 된다면 문병도 가겠다고 약속했습니다. 하지만 제가 게으름 피우는 동안 그분의 따님은 세상을 떠났습니다. "장 교수님이 아빠를 통해 격려해주신 것 감사합니다. 저도 장 교수님이 더욱 멋있게 사실 수 있도록 기도하겠습니다"라는 메모를 제게 남기고요.

무슨 말을 어떻게 해야 할지요. 죽음은 이별이 아니고, 죽음으로써 "우리는 영원히 깨어난다"는 시인의 말이 조금은 위로가 될지요. 떠나가는 사람들의 기대에 어긋나지 않게 더욱 열심히, "더욱 멋있게" 살아가는 것은 이곳에 남아 있는 사람들의 의무겠지요. 약속을 지키지 못한 데 대해 용서를 구하며 최철주 선생님께, 그리고 사랑하는 이를 가슴에 묻고 슬퍼하는 모든 분들께 이 시를 드립니다.

어디에선가 당신을 기다립니다

## Song of Myself

Walt Whitman

....I depart as air, I shake my white locks at the runaway sun,
I effuse my flesh in eddies, and drift it in lacy jags.
I bequeath myself to the dirt to grow from the grass I love,
If you want me again look for me under your boot-soles....
Failing to fetch me at first keep encouraged,
Missing me one place search another,
I stop somewhere waiting for you.

# 이별을 고하며

월트 휘트먼

나는 공기처럼 떠납니다. 도망가는 해를 향해 내 백발을 흔들며.
내 몸은 썰물에 흩어져 울퉁불퉁한 바위 끝에 떠돕니다.
내가 사랑하는 풀이 되고자 나를 낮추어 흙으로 갑니다.
나를 다시 원한다면 당신의 구두 밑창 아래서 찾으십시오.
처음에 못 만나더라도 포기하지 마십시오.
어느 한 곳에 내가 없으면 다른 곳을 찾으십시오.
나는 어딘가 멈추어 당신을 기다리겠습니다.

미국의 시인(1819~1892). 전통적인 시의 운율과 압운을 무시하고 일상의 언어와 자유로운 리듬을 구사한 시집 《풀잎
(Leaves of Grass)》은 미국 문학사에서 중요한 위치를 차지한다. 민주주의, 평등주의, 동포애를 노래하며 미국 시에 새로
운 전통을 세웠다. 위 시는 대표작인 장시 〈나의 노래〉 중 맨 끝 부분에 해당한다.

〈나의 노래〉라는 장시長詩에서 독자들과 함께 자아여행을 떠난 시인이 이제 종착지에 도달했음을 알립니다. 몸은 떠나지만 마치 어디에서나 자라 나는 풀잎처럼, 늘 낮은 곳에서 가까이, 함께할 거라고 말합니다.

시인과 마찬가지로 이제 저도 떠날 준비를 합니다. 여러분과 함께한 시 산책, 참 행복했습니다. 정신없이 돌아가는 세상에 "어딘가 멈추어 당 신을 기다리는" 시인이 있는 것처럼, 시를 읽는 마음은 나는 절대 혼자가 아니라는 느낌, 어쩌면 바로 내 구두 밑창에서 날 기다리고 있는 사랑과 행 복을 찾는 일인지도 모릅니다.

아플 때는 격려를, 기쁠 때는 사랑을 주신 독자 여러분께 감사합니다. 그리고 고백합니다… '사랑합니다.'